Chère lectrice,

Voici venu le beau et chaud mois d'août : vous êtes peut-être sur une plage en train de bronzer et de rêver aux aventures de nos héros de ce mois-ci ! Car des aventures, il leur en arrive, et des belles... Dans *Prince et... papa !* (n° 2020), le deuxième volume de votre série Mariage royal, vous découvrirez ainsi comment le prince Garth de Nabotavia se retrouve, bien malgré lui, papa d'une jolie petite fille de quatre mois... Dans *Une merveilleuse rencontre* (n° 2021), le dernier volume de votre série Les fiancées de l'été, l'amour frappe à la porte de Brady Malone alors qu'il était loin de s'y attendre. C'est également le cas de Gina, qui, dans *Un patron bien trop séduisant* (n° 2022), se retrouve un beau matin... mariée à son patron ! Dans *Pour l'amour d'un célibataire* (n° 2023), c'est le séduisant Channings qui est frappé par un véritable coup de foudre pour Jolie, et décide donc de l'épouser ! Enfin, dans *Un papa formidable* (n° 2024), vous verrez que même un célibataire endurci comme JD se laisse prendre au jeu de l'amour...

Bonne lecture,

La responsable de collection

Un patron bien trop séduisant

SUSAN MEIER

Un patron bien trop séduisant

COLLECTION HORIZON

éditions Harlequin

Cet ouvrage a été publié en langue anglaise sous le titre :
MARRIED IN THE MORNING

Traduction française de
CHRISTINE DERMANIAN

Originally published by SILHOUETTE BOOKS,
division of Harlequin Enterprises Ltd.
Toronto, Canada

83-85, boulevard Vincent-Auriol, 75013 PARIS — Tél. . 01 42 16 63 63
Service Lectrices — Tél. : 01 45 82 47 47
ISBN 2-280-14439-5 — ISSN 0993-4456

1.

Gina Martin fut réveillée par le bruit de la douche. Comme elle changeait de position, le satin frais des draps lui caressa les jambes. Un parfum de cannelle flottait dans la pièce.

De *cannelle* ?

Elle ouvrit grand les yeux, si vite qu'elle ressentit une vive douleur au bas du crâne, et s'empressa de les refermer. Mais pas avant d'avoir pu remarquer que cette chambre n'était pas la sienne. A en juger par le style des meubles et leur disposition, elle se trouvait dans un hôtel.

Un hôtel… Et il y avait quelqu'un dans la salle de bains. Et elle était nue.

Dieu du ciel…

D'étranges images défilèrent dans son esprit. Des images où elle apparaissait avec Gerrick Green, l'un des vice-présidents de la firme alimentaire Hilton-Cooper-Martin.

Elle avait rencontré Gerrick par hasard, en fin d'après-midi, dans un petit bar situé à proximité du siège social de l'entreprise. Il attendait quelqu'un, lui aussi. Le temps avait passé. Assez de temps pour qu'ils comprennent, l'un et l'autre, que la personne avec laquelle ils avaient rendez-vous leur avait fait faux bond. Tammy, une amie de Gina, avait dû tout simplement oublier qu'elles devaient dîner ensemble. Gerrick avait également été délaissé par l'une de ses amies, une jeune femme mariée qui lui avait promis de fêter avec lui son nouvel emploi.

Jusque-là, Gina ignorait tout de ce changement imminent de situation professionnelle, et il l'en avait informée avec un plaisir non dissimulé. Il serait très bientôt P.-D.G. d'une chaîne de supermarchés à l'avenir prometteur, dans le Nord-Est. Il avait d'ailleurs déjà fait parvenir au père de Gina, P.-D.G. de Hilton-Cooper-Martin, son préavis de quinze jours. En qualité de directrice du personnel de l'entreprise familiale, c'était Gina qui se chargerait de trouver un remplaçant à Gerrick, mais cela ne l'avait pas empêchée de se réjouir pour lui. Elle avait donc suggéré, puisqu'ils étaient tous deux disponibles, qu'ils célèbrent ensemble ce nouveau tournant dans sa carrière.

Cette proposition n'avait pas paru le transporter d'enthousiasme, elle s'en souvenait. Tout comme elle se rappelait avoir insisté, alléguant que ce poste représentait une avancée considérable dans sa vie professionnelle. Cela signifiait qu'il avait « réussi », et elle jugeait donc normal de fêter l'événement aussi dignement que possible.

Il avait fini par accepter en souriant, et l'avait prise par la main pour quitter l'établissement, qu'il ne jugeait pas à la hauteur de la circonstance. Riant toujours et sans la lâcher, il avait hélé un taxi et demandé au chauffeur de les conduire à l'aéroport où, avait-il décidé, ils prendraient un avion pour Las Vegas. Car, selon lui, aucun lieu n'était comparable à Las Vegas pour ce genre d'occasion.

Et il ne se trompait pas. La ville, délicieusement hédoniste et décadente, offrait une foule de possibilités qu'on ne trouvait nulle part ailleurs. En raison du décalage horaire entre Las Vegas et Atlanta, ils arrivèrent quasiment à l'heure à laquelle ils étaient partis. Après avoir dîné et assisté à un spectacle, ils avaient rejoint leur hôtel et y avaient dormi dans des chambres séparées. Le samedi matin, après avoir fait quelques emplettes

— le nécessaire pour le week-end —, ils étaient retournés à leur hôtel pour se changer, puis ils étaient ressortis visiter la ville.

Mais le samedi après-midi — c'est-à-dire la veille —, ils avaient découvert les joies du casino. Gina se rappelait avoir été tout particulièrement attirée par les machines. Elle se rappelait avoir ri, et même sauté de joie. A croire que les machines n'attendaient que son apparition pour déverser leurs pièces ! Une chance pareille ne se lâchait pas. Ils avaient donc pris place aux tables de black-jack, où la chance avait continué à lui sourire. A un moment, Gerrick l'avait embrassée. Embrassée *vraiment*, pas un simple baiser amical... Elle s'en souvenait très bien. Elle gardait aussi le souvenir d'une serveuse qui remplissait régulièrement leurs flûtes à champagne...

Oh, Seigneur...

En revanche, elle ne se rappelait pas du tout avoir dîné. A vrai dire, elle ne se rappelait pas très bien ce qui s'était passé après la cinquième flûte de champagne. En tout cas, elle ignorait comment elle était arrivée dans cette chambre, qu'elle partageait de toute évidence avec la personne qui se douchait.

Elle ne savait pas non plus qui était au juste cette personne... même si elle avait une idée assez précise de son identité.

Gina glissait les doigts dans ses longs cheveux couleur sable, quand la porte de la salle de bains s'ouvrit. Résistant à son envie de se réfugier sous le lit, elle se couvrit aussitôt du drap, qu'elle remonta jusqu'au cou.

Il était temps. Gerrick apparut, et la jeune femme retint son souffle. Une serviette d'hôtel blanche ceinte autour de la taille, ses cheveux noirs encore mouillés, il paraissait tout à fait à l'aise. Nulle trace de remords dans son comportement. Ses yeux verts pétillaient même de joie. Incapable de soutenir ce regard, elle baissa le sien et fut confrontée à un torse hâlé et musclé.

Ses joues s'embrasaient, lorsque Gerrick la rejoignit et la fit basculer en arrière pour s'emparer de ses lèvres. Une myriade de sensations jaillit en elle au contact de cette bouche brûlante, de ce corps masculin pressé contre le sien. Elle était choquée. Choquée… et heureuse.

Il s'écarta alors d'elle et lui souleva le menton.

— Bonjour, murmura-t-il.

— Bonjour, lui répondit-elle, surprise, tant par la sensualité qui émanait de sa propre voix que par l'indéniable tendresse que trahissait celle de Gerrick.

A le voir, à l'entendre, on aurait juré qu'il était éperdument amoureux d'elle. Lui souriant toujours, il se redressa.

— Je vais d'abord m'habiller, et si tu me donnes la clé de ta chambre, j'irai chercher tes vêtements. Notre avion décolle dans trois heures, mais dans la mesure où il faut se présenter à l'enregistrement deux heures avant le décollage, je pense que ce serait aussi simple de prendre le petit déjeuner là-bas.

Tandis qu'il parlait, Gina s'efforçait de rassembler les données qu'il lui fournissait. En vrai gentleman, il venait de lui proposer de récupérer ses affaires. Mais si elle allait les chercher elle-même, elle disposerait d'un peu de temps pour réfléchir, pour essayer d'analyser la situation. Essayer de *comprendre* ce qui s'était produit, et comment elle s'était retrouvée dans cette chambre, avec cet homme.

— Je peux très bien aller les chercher moi-même. J'en profiterai pour m'habiller.

Pour cacher sa gêne et éviter de blesser Gerrick, elle ajouta :

— Ça nous évitera de nous pousser devant le miroir !

Cette remarque le fit rire de bon cœur.

— Nous avons le droit d'utiliser la salle de bains en même temps, maintenant.

De plus en plus déroutée, Gina haussa les épaules avec un petit rire creux. Sur le point de se lever, elle se ravisa, se rappelant qu'elle était nue sous le drap. Elle avait manifestement fait l'amour avec Gerrick, la veille au soir, mais ne se sentait pas pour autant prête à se promener devant lui dans son plus simple appareil. Elle se remit donc dans sa position initiale, avec le plus de naturel possible.

— Tu n'es pas encore habillé, insista-t-elle. Je peux très bien enfiler les vêtements que je portais hier, retourner dans ma chambre pour me doucher et me changer, et te retrouver à la réception dans une heure. Ce qui nous laissera tout le temps de prendre notre petit déjeuner à l'aéroport.

— Tu en es sûre ?

— Certaine, lui répondit-elle, admirant le calme dont elle arrivait à faire preuve en de pareilles circonstances. Finis de te préparer. Je te rejoins à la réception le plus vite possible.

Elle avait prononcé ces mots, persuadée — Dieu seul savait pourquoi ! — qu'il retournerait dans la salle de bains. Au lieu de quoi, il dénoua sa serviette et se dirigea vers le placard.

Face à ce magnifique spécimen masculin, Gina retint de nouveau son souffle. « Magnifique » était bien le terme idoine. Des épaules carrées, des hanches étroites, pas une once de graisse sur l'abdomen… Un corps parfait, musclé mais pas trop, à l'inverse de ces athlètes qui envahissaient l'écran au moment des compétitions. Il était vraiment superbe, en boxer-short.

Soit… Et maintenant, que faire ?

Prête à s'habiller en un clin d'œil, Gina regarda autour d'elle afin de repérer ses vêtements. Elle vit d'abord de fines sandales rouges, renversées sur la moquette. Puis un chemisier de soie rouge, en travers d'un fauteuil. Un pantalon noir, roulé en boule, non loin des sandales. Et des sous-vêtements en dentelle, rouges eux aussi… suspendus au lampadaire.

Oh, Seigneur, Seigneur…

Elle déglutit péniblement, cherchant à maîtriser la panique qui montait en elle. Ces sous-vêtements étaient radicalement différents de ceux qu'elle portait d'habitude. Mais ce n'était pas tout. A quelle genre d'activité s'était-elle livrée pour qu'ils arrivent sur le lampadaire ?

Comprenant qu'il lui serait difficile de s'en tenir au rôle pondéré qu'elle avait décidé de jouer, Gina s'enveloppa dans le drap en satin, et s'approcha du lampadaire. Pour constater que les sous-vêtements étaient hors de sa portée. Une petite voix lui souffla qu'elle pouvait très bien regagner sa chambre sans ces quelques centimètres carrés de dentelle écarlate, et elle s'apprêtait à l'écouter lorsque Gerrick vint à sa rescousse. Ses joues s'enflammèrent au moment où il lui tendit les minuscules slip et soutien-gorge, mais il sembla ne rien remarquer, et lui déposa un baiser sur les lèvres avant de disparaître de nouveau dans la salle de bains. Soulagée, elle s'habilla plus vite qu'elle ne l'avait jamais fait.

Son regard se posa alors sur un petit sac en cuir rouge qui, supposa-t-elle, était le sien. Il contenait en effet son porte-monnaie et la clé de sa chambre. Comme elle continuait de fouiller, un éclair retint son attention. Elle ressentit aussi un poids nouveau à son annulaire gauche. A la vue de l'anneau en platine orné de trois diamants — trois gros diamants, montés en marquise —, Gina lâcha son sac et, hagarde, se laissa tomber sur le lit.

Elle ne s'était donc pas contentée de passer la nuit avec Gerrick. Apparemment, elle l'avait *épousé*.

Sans perdre une seconde, elle reprit son sac, sortit en trombe et se précipita vers l'ascenseur afin de regagner sa chambre. Là, elle ôta ses vêtements avec des gestes saccadés avant de se réfugier dans la cabine de la douche. Ce n'est qu'au moment où le puissant jet d'eau tiède s'abattit sur ses épaules qu'elle poussa un long cri.

*
* *

— Me voilà !

Dès qu'il la vit, Gerrick lui passa le bras autour de la taille et l'embrassa, confirmant ainsi la seule conclusion à laquelle elle avait pu parvenir dans cette situation abracadabrante : Gerrick ne regrettait pas du tout que leur relation soit devenue plus… *intime* en l'espace de quelques heures. Il ne semblait pas non plus regretter leur mariage. Il ignorait sans doute qu'elle ne gardait aucun souvenir, pas plus du mariage que de leur nuit d'amour. Comment se tirer de cette situation avec élégance ? En supposant que ce soit possible…

— Allons prendre un taxi, dit-il.

Chargé de leurs légers bagages, il la guida vers la sortie et ils se retrouvèrent sous le chaud soleil de Las Vegas. Une file de taxis attendait là. Lorsqu'ils furent installés dans la première voiture, Gina sourit à son compagnon puis reporta aussitôt son attention sur la vitre. L'hôtel où ils avaient logé se trouvait à un quart d'heure de l'aéroport, et elle désirait mettre ce temps à profit pour réfléchir encore.

Elle avait seize ans quand elle avait connu Gerrick. Il venait d'achever ses études et avait été embauché par son père. Bien entendu, elle l'avait trouvé très attirant. Aucune adolescente digne de ce nom ne l'aurait trouvé repoussant ! Il était brun, grand, mince… Il avait aussi six ans de plus qu'elle. Six ans qui faisaient de lui un adulte, alors qu'elle n'était qu'une lycéenne. Leur histoire avait donc capoté avant même de voir le jour.

Le temps avait passé. Gina venait tout juste de fêter ses vingt-deux ans quand elle avait commencé à travailler dans l'entreprise familiale. En qualité de cadre supérieur, puisqu'elle était la fille du P.-D.G. et principal actionnaire, auquel elle succéderait assurément le moment venu. Au sein de l'équipe dirigeante, certains lui en avaient voulu d'accéder, sitôt arrivée, à un poste clé. Gerrick, lui, l'avait bien accueillie, ce qui le lui avait rendu d'autant plus sympathique. Mais elle avait gardé ses distances, sachant qu'elle remplacerait un jour son père au poste de P.-D.G.

Lui aussi avait gardé ses distances.

Durant les six années suivantes, ils avaient travaillé ensemble, échangé quelques plaisanteries au sujet de leurs week-ends ou de leurs vacances. Il leur était aussi arrivé de déjeuner ensemble, ces derniers mois surtout. Mais ils n'avaient jamais passé plus de deux heures en compagnie l'un de l'autre. Jusqu'à ce vendredi.

Et voilà qu'ils étaient mariés…

Curieusement, une partie d'elle-même ne le regrettait pas. D'abord parce qu'il lui plaisait physiquement. Ensuite parce qu'il ne manquait pas de qualités. Elle le connaissait désormais depuis douze ans. Pendant ce laps de temps, il lui avait prouvé à maintes reprises qu'il était généreux, honnête, et qu'il ne rechignait pas à la tâche. En outre, elle avait toujours eu un faible pour lui. Si ridicule que cela puisse paraître, elle avait presque le profil parfait de la jeune mariée comblée.

Gerrick lui passa le bras autour des épaules en souriant. Le rôle de jeune mariée comblée lui parut à portée de main.

Pouvait-elle franchir ces quelques centimètres ? Devenir l'épouse d'un homme qu'elle ne connaissait pas vraiment, mais qu'elle estimait et qui l'attirait ? Elle en avait envie. Une envie folle, même. Une envie qui l'effrayait.

Arrivés à l'aéroport, ils firent enregistrer leurs bagages et, munis de leurs cartes d'embarquement, entrèrent dans une cafétéria. Gerrick la tenait par la main ou par la taille, ou encore par les épaules. Elle se sentait belle, énergique, sur le point de se lancer dans une nouvelle vie avec un homme merveilleux. Pour la première fois depuis que son fiancé, Chad, avait rompu avec elle l'année précédente, Gina était heureuse. Pas seulement heureuse. Pleine d'espoir, aussi. La vie lui paraissait de nouveau chargée de promesses. Son rôle ne se bornait pas à être la fille de Hilton Martin.

— Bien, dit Gerrick, dès que la serveuse eut posé devant eux les plateaux contenant de copieux petits déjeuners. Je crois que nous devons parler de certaines choses.

— Je le pense aussi.

Pourtant, elle ne savait toujours pas comment procéder. Quoi qu'il arrive, elle jugeait de son devoir d'avouer à Gerrick qu'elle ne gardait aucun souvenir de la nuit qu'ils venaient de passer ensemble. Or, lorsqu'il l'apprendrait, il manifesterait probablement le désir de divorcer. Hypothèse qui l'attristait, force était de l'admettre.

Il fallait néanmoins qu'elle s'acquitte de cette tâche.

— Gerrick, je ne sais pas trop comment te le dire, mais…

— Il me semble que nous devons, avant toute chose, orchestrer ton départ d'Atlanta pour le Maine — et ce, en moins de quinze jours !

— Comment ?

Bien qu'ils se soient exprimés en même temps, Gina avait très bien saisi le sens des propos de Gerrick. Propos qui lui avaient fait l'effet d'une douche glacée au réveil.

— Voyons, Gina… Tu ne peux pas continuer à vivre à Atlanta, alors que tu es mariée à un homme installé dans le Maine.

Il ponctua ces mots d'un petit rire.

Mais Gina n'avait guère envie de rire. Elle s'était redressée sur son siège et absorbait à petits coups le café qu'elle avait commandé. Voilà, en tout premier lieu, pourquoi leur mariage risquait d'aboutir à un échec. Depuis sa plus tendre enfance, on lui avait expliqué qu'elle était destinée à prendre les rênes de l'entreprise familiale, au moment où son père déciderait de les lui confier. Elle se considérait comme une femme d'affaires. A présent, elle était l'épouse d'un homme d'affaires. S'agissait-il d'une promotion, ou d'une régression ? Difficile à dire. D'ailleurs, elle n'était pas certaine d'apprécier ce changement de statut. Pas plus qu'elle n'était certaine de savoir tenir ce nouveau rôle.

— Tu… vas donc toujours t'installer dans le Maine ? s'enquit-elle d'une voix mal assurée.

— Ce poste représente ce dont j'ai toujours rêvé. Je ne peux pas renoncer à cette opportunité.

— Il y a des gens qui… pensent que leur mariage est *ce dont ils ont toujours rêvé.*

Gerrick tendit la main par-dessus la table, prit celle de la jeune femme et la porta à ses lèvres.

— Ces gens-là ont raison, murmura-t-il.

En entendant ces mots, Gina ressentit un petit pincement à l'estomac. En dépit de son jean et de son polo, il avait l'air si romantique…

Comment renoncer à la voie qu'il lui ouvrait ?

— Ce serait peut-être plus sage d'assimiler un premier grand changement, avant de passer au suivant, non ?

— Ne dis pas de bêtises. Nous sommes aussi vifs d'esprit l'un que l'autre, et donc capables de gérer cette transition pendant notre sommeil !

Gina nota au passage qu'il voyait en elle quelqu'un d'intelligent, à l'inverse de certaines personnes, qui pensaient que seul son statut familial lui permettait d'exercer des fonctions aussi importantes au sein de l'entreprise.

Elle se mordilla les lèvres. Il avait l'air si sûr de lui, si heureux. Tout comme il avait l'air de la connaître. De l'aimer. Cet amour lui ouvrait des horizons nouveaux, lui donnait envie de tout abandonner pour mener l'existence qu'il lui offrait.

— J'ai des responsabilités familiales…, allégua-t-elle.

— Vraiment ?

Il la regardait droit dans les yeux, et elle se demanda ce qu'il entendait au juste par ce *vraiment*. Grâce au ciel, il lui sourit de nouveau avant de reprendre la parole.

— J'imagine que tu ne me détromperas pas si je déclare que tout est allé un peu trop vite ? Je suggère donc que nous dégustions tranquillement notre petit déjeuner, que nous montions dans l'avion, et que nous reprenions cette discussion à notre arrivée.

Gina s'empressa d'acquiescer. Cette proposition lui convenait à merveille. Jamais elle n'avait eu les idées aussi emmêlées. Une chose était sûre : Gerrick Green la connaissait. Assez pour deviner ses états d'âme, et pour éviter d'exercer sur elle la moindre pression. Il la respectait. Et ces qualités, elle les avait reconnues même après maintes flûtes de champagne, puisqu'elle l'avait épousé.

Pendant le vol, ils bavardèrent de tout et de rien, et Gina ne fut pas longue à comprendre que cet homme l'aimait réellement. Sa façon de la regarder, de lui parler, ne laissait aucun doute quant à l'authenticité des sentiments qu'il lui portait. Si elle ne se sentait pas encore assez sûre d'elle pour répondre à cet amour, elle savait, en tout cas, qu'il lui plaisait et qu'elle le respectait, elle aussi.

La petite voix qui avait résonné en elle un peu plus tôt continuait à se manifester. Cette voix lui disait qu'il serait dommage de laisser échapper une telle occasion. Qu'elle risquait de ne plus jamais se représenter. Que le bonheur était peut-être là, tout près d'elle.

Au moment où leur avion se posait à Atlanta, Gina avait pris sa décision. Elle allait lancer les dés. Elle ignorait d'où lui venait ce goût prononcé pour le jeu, mais apparemment, elle le portait bel et bien en elle. Elle ignorait aussi comment elle annoncerait la nouvelle à son père, mais elle allait le faire. Si tout la destinait à lui succéder, il n'en restait pas moins que Hilton n'avait pas encore fêté ses soixante ans, âge bien précoce pour songer à prendre sa retraite. Vu son état de santé, tant physique que mental, il continuerait de diriger l'entreprise pendant une bonne quinzaine d'années encore. A ce moment-là, ils auraient sans aucun doute fondé une famille, Gerrick et elle.

Ils quittèrent l'avion et récupérèrent leurs bagages avant de faire la queue devant la station de taxis. Cette fois, quand Gerrick l'embrassa, Gina répondit à son baiser, prête à accepter ce mari comme une nouvelle manifestation de la chance inouïe qui l'accompagnait depuis son arrivée à Las Vegas.

Et Gerrick se détendit presque. *Presque*.

Il n'avait pas poussé Gina à l'épouser, mais il n'avait pas non plus laissé passer l'occasion. Lorsqu'elle avait lancé l'idée, il l'avait saisie au vol. Une heure à peine plus tard — les formalités étant réduites à leur plus simple expression, à Las Vegas —, ils étaient « unis par les liens sacrés du mariage ». S'il considérait ce moment comme le plus important de sa vie, Gerrick était toutefois assez clairvoyant pour remarquer qu'à la lumière du jour, Gina ne paraissait plus aussi sûre d'elle.

Mais qu'y avait-il là d'anormal ? S'il était amoureux d'elle depuis des mois, elle l'ignorait. Jusqu'à ce week-end, elle se remettait de sa brusque rupture avec son fiancé. C'était d'ailleurs à ce moment-là qu'il avait commencé à s'éprendre d'elle. Quand il l'avait vue anéantie par la tournure pour le moins imprévue des événements. L'homme qu'elle devait épouser l'avait abandonnée pour une étudiante avec laquelle il avait une aventure depuis quelque temps.

Afin de la consoler, Gerrick avait pris l'habitude de passer la voir tous les matins à son bureau, de déjeuner avec elle au moins une fois par semaine, de boire un verre en sa compagnie à la fin des réunions. Peu à peu, la sympathie que lui inspirait la jeune femme s'était transformée en affection. Cette affection s'était muée à son tour en un sentiment plus fort. Et puis, un beau matin, il s'était aperçu qu'il était fou d'elle. Mais il était prêt à parier qu'elle ne voyait en lui qu'un membre du personnel de la firme alimentaire Hilton-Cooper-Martin. Jusqu'à ce vendredi soir, où ils s'étaient retrouvés par hasard dans le petit bar. A partir de là, leur relation semblait avoir opéré un virage à cent quatre-vingts degrés.

N'était-ce pas elle qui l'avait demandé en mariage ?

Demande qu'il s'était évidemment empressé d'accepter. Il ne lui restait plus que quinze jours à passer à Atlanta, et à moins d'épouser Gina, il n'avait aucun moyen de l'obliger à le suivre dans le Maine. Il n'avait même aucune raison de rester en contact avec elle. Rien ne les aurait liés l'un à l'autre, excepté une soirée extravagante dans l'un des casinos de Las Vegas. Ce qui, il fallait bien le dire, ne représentait pas grand-chose.

Sur le vol de retour, le décalage horaire joua en leur défaveur, et l'après-midi touchait à sa fin quand l'avion se posa sur la piste. Ils prirent un taxi qui les conduisit au bar où ils s'étaient retrouvés le vendredi soir, puis chacun monta dans sa voiture pour se rendre dans la demeure des Martin. Ce fut Gina qui arriva en premier. Elle activa les touches de sécurité qui ouvraient le grand portail en fer forgé, et le laissa ouvert derrière elle. Après être passé à son tour, Gerrick le referma. Comme il traversait l'allée conduisant à la maison, il tenta de se préparer à ce qui allait suivre. Il faudrait qu'il explique à son patron ce qui s'était produit ce week-end, en évitant des termes tels que « champagne » et « désir ».

Il vit Gina se garer à côté d'une berline noire qu'il reconnut sur-le-champ. Elle appartenait à Ethan McKenzie, chef du département juridique de Hilton-Cooper-Martin, et ami de la famille.

Gerrick grimaça. Cela signifiait qu'ils devraient peut-être attendre des heures avant d'annoncer leur mariage à Hilton. Il en était là de ses pensées quand un gémissement s'échappa de ses lèvres. Il avait offert à Gina une bague en platine avec trois diamants d'un carat montés en marquise. La bague ne passerait pas inaperçue. Surtout pas au regard averti de Ethan. S'il ne s'empressait pas d'agir, il leur serait impossible d'annoncer la nouvelle en privé à Hilton.

Il sortit en trombe de sa voiture et courut vers la porte d'entrée, pressé de rejoindre Gina et de lui parler avant qu'elle n'entre et ne montre la bague. Mais il était trop tard. Comme s'il avait attendu la jeune femme, Ethan ouvrit la porte avant même qu'elle ne pose la main sur la poignée. Il lui passa le bras autour des épaules, et, à en juger par l'expression de son visage, lui dit quelque chose de très grave. Elle lâcha un cri étouffé avant de se blottir contre Ethan, comme si elle cherchait sa protection. Puis, d'un même geste, ils sortirent et se dirigèrent vers la voiture d'Ethan. Gerrick, qui arrivait dans l'autre sens, avait presque atteint le perron quand ils passèrent à côté de lui sans lui prêter attention.

Il s'arrêta.

Ethan démarra, avança vers lui au volant de sa voiture, et baissa la vitre côté conducteur.

— Désolé, Gerrick. Hilton a eu une crise cardiaque. Il se trouvait en Pennsylvanie, pour la promotion d'un tournoi de golf qu'il sponsorise cet été. J'ai retenu un billet d'avion pour Gina, sur le prochain vol. Josh Anderson est déjà là-bas, ajouta-t-il, citant le directeur des relations publiques de l'entreprise, qui était aussi le cousin de Gina. Dans l'immédiat, il nous faut quelqu'un qui reste aux commandes du navire. Et je pense que tu es ce quelqu'un.

— En fait, Ethan…

Il posa le regard sur Gina, qui s'essuyait les yeux avec un Kleenex.

— … je pense que je devrais plutôt accompagner Gina à l'hôpital.

Il remarqua que la bague qu'il avait offerte à la jeune femme était opportunément cachée par le mouchoir, et même si cela lui apparaissait comme une étrange — et heureuse — coïncidence, il ne s'interrogea pas plus avant.

Ethan sembla soudain comprendre qu'ils avaient passé le week-end ensemble, et les regarda tour à tour.

— Oh…, murmura-t-il avant de se tourner vers Gina. Le deuxième billet est réservé à mon nom. Gerrick n'aura peut-être pas le temps de le faire transférer au sien. D'ailleurs, nous risquons nous-mêmes de rater cet avion.

— Dans ce cas, dépêchons-nous, lança-t-elle d'une voix tendue. Tu prendras un autre vol, Gerrick.

— Et je reviendrai pour te remplacer, dit Ethan juste avant de redémarrer.

Gerrick hocha lentement la tête. Tandis qu'il regardait s'éloigner la voiture, il eut l'impression d'avoir été percuté par un camion. Il n'avait jamais vu en Hilton Martin seulement un employeur. D'une certaine façon, il aimait Hilton comme un père. Ce qui expliquait peut-être le fait qu'il n'avait pas osé, jusque-là, exprimer plus clairement ses sentiments à Gina. Gina qu'il aimait, et qu'il souhaitait soutenir dans cette épreuve. Comme tout mari soutient son épouse. Or, elle ne manifestait aucune envie de l'avoir auprès d'elle. Ou peut-être, tout simplement, qu'elle s'en moquait…

Mais il ne devait pas s'en offenser. L'urgence de la situation justifiait sans doute l'attitude de la jeune femme. Affolée comme elle l'était, elle n'avait qu'une hâte : être au chevet de son père.

Ebranlé, il regagna sa voiture et utilisa son téléphone portable pour réserver une place sur le prochain vol à destination de Pittsburgh. Après quoi il appela la secrétaire de Hilton afin qu'elle lui donne des précisions sur le lieu où il était hospitalisé. Comme il s'y attendait, Barbara lui fournit ces informations.

Il fit alors une halte chez lui pour préparer un petit sac de voyage, et partit pour l'aéroport. En dépit de l'inquiétude que suscitait en lui l'état de santé de Hilton, il ne pouvait s'empêcher de penser à Gina, avec laquelle il se trouvait dans ce même aéroport à peine deux heures plus tôt.

Il passa à l'endroit où ils s'étaient embrassés, et devant la porte par laquelle ils étaient sortis en riant, heureux et remplis d'espoir. Mais au moment où il s'engageait dans le tunnel qui le menait à l'appareil, il se rappela aussi que Gina lui avait paru plutôt réticente et mal à l'aise, lorsqu'ils avaient décollé de Las Vegas. Il lui avait fallu un certain temps pour se faire à l'idée de leur mariage. Et en l'espace de quelques secondes, ils s'étaient retrouvés à la case départ.

Il savait qu'il courait un risque sérieux de la perdre, ce soir-là, s'il n'arrivait pas à Johnstown, Pennsylvanie, avant qu'elle n'ait complètement changé d'avis. Avant qu'elle ne succombe au chagrin et à la peur, et ne décide alors que leur mariage était une erreur.

2.

Gina ignorait qui était la femme de Las Vegas. Pas elle, en tout cas. Elle, elle s'appelait Gina Martin, fille de Hilton Cooper-Martin. Elle allait devenir propriétaire et P.-D.G. de l'importante société alimentaire du même nom, parce qu'elle était la seule héritière de cet homme aujourd'hui veuf, qui avait fait ses débuts dans une petite épicerie, et qui se trouvait à présent à la tête d'une entreprise familiale aux actions cotées en bourse. Gina Martin n'était pas une adepte des jeux de hasard. Gina Martin ne portait pas de sous-vêtements en dentelle rouge. Gina Martin n'était pas du genre à se marier sur un coup de tête, si séduisant que fût le mari en question. Pour finir, le père de Gina Martin, un homme robuste qui n'avait pas encore atteint la soixantaine, n'avait pas de crise cardiaque.

L'univers stable dans lequel elle évoluait jusque-là avait basculé durant le week-end, et il fallait à présent qu'elle remette tout dans le bon sens.

En descendant de l'avion qui l'avait conduite à Johnstown, Gina glissa dans la poche de son pantalon la bague que lui avait offerte Gerrick. Elle se félicitait d'avoir acheté ce tailleur-pantalon à Las Vegas. L'épais coton n'était certes pas assez chaud pour la température de février dans les Monts Appalaches, mais elle était plus couverte qu'Ethan.

— L'hôpital n'est pas loin, déclara ce dernier en ouvrant la portière de la voiture qu'il avait louée au seul comptoir de véhicules de location du petit aéroport.

Vêtu d'un jean et d'un T-shirt, le cheveu noir en bataille, l'œil tout aussi noir, Ethan avait l'allure d'un homme brusquement arraché à ses activités familiales par un beau dimanche après-midi. Sous le choc, il n'avait pas pensé à se munir d'une veste, et l'inquiétude que suscitait en lui l'état de santé de Hilton l'emportait apparemment sur le froid qu'il ressentait, car il ne fit aucun commentaire sur la température, se contentant de monter le chauffage au maximum dès qu'il eut mis le contact.

— Le pilote m'a expliqué où se situe exactement l'établissement.

— Il faut bien que les petites villes aient des avantages…, observa Gina avec une grimace éloquente.

— Je doute en effet que quelqu'un ait pu me renseigner aussi bien à Atlanta.

Il était presque 20 heures, et Ethan alluma les phares avant de démarrer.

Comme si le fait d'avoir ôté sa bague avait eu sur Gina un effet magique, elle cessa de se torturer l'esprit au sujet de ce week-end insensé. A quoi bon ? En l'état actuel des choses, il fallait qu'elle réfléchisse au moyen le plus sûr d'éviter que l'entreprise ne s'effondre en l'absence de Hilton.

— Tu repartiras quand Gerrick arrivera ? demanda-t-elle à Ethan, qui roulait sur une route à quatre voies quasiment déserte.

— Oui. L'un de nous doit mener la barque, comme je le disais tout à l'heure.

Gina soupira.

— Je ne voudrais pas te blesser, Ethan, mais tu diriges le secteur juridique de la boîte. La gestion quotidienne des affaires n'est pas trop ton rayon.

— Dans ce cas, ce n'est pas non plus une bonne idée de faire rentrer Josh Anderson, puisqu'il chapeaute le département des relations publiques, observa-t-il.

Le trio Gina-Ethan-Josh était tout désigné pour passer aux commandes de l'entreprise, le jour où Hilton déciderait de prendre sa retraite. Gina occuperait le fauteuil de P.-D.G., Josh couvrirait le secteur des activités commerciales, et Ethan resterait à son poste. Dans la mesure où l'actuel P.-D.G. était encore jeune, et où nul ne savait quel rôle aurait été réservé à Gerrick si celui-ci n'avait quitté l'entreprise, il n'avait pas encore commencé à transférer ses pouvoirs. Si Ethan dirigeait de main de maître tout le secteur juridique, pour l'instant, personne n'était apte à remplacer Hilton au pied levé.

Surtout pas Gina. Son père l'avait placée à la tête des Ressources humaines afin qu'elle connaisse tous les employés de l'entreprise — leurs points forts aussi bien que leurs points faibles. Cette période d'adaptation passée, elle supposait qu'il envisageait de lui apprendre les ficelles du métier. Peut-être même l'installerait-il à côté de son bureau, pour en faire son assistante avant de lui passer les rênes. Mais jusqu'ici, ses charges au sein de l'entreprise s'étaient limitées à la gestion des employés.

— Il connaît sûrement le fonctionnement basique de la boîte, déclara Ethan, faisant allusion à Josh, mais de là à la diriger…

— En d'autres termes, il faut que Gerrick reparte au plus vite pour Atlanta.

Ethan soupira.

— C'est lui qui seconde Hilton, et qui est donc à même de gérer le suivi des opérations, de régler les problèmes courants.

Quel dommage qu'il nous soit impossible de le joindre pour lui demander de ne pas venir du tout !

— Il doit venir.

— Ah ?

Ethan lui décocha un regard en coin.

— Inutile d'accorder à cette histoire plus d'importance qu'elle n'en a, déclara-t-elle.

Elle s'était exprimée de son ton habituel, ferme et assuré, celui de la femme d'affaires accomplie qu'elle était. Comment avait-elle pu l'oublier, ne serait-ce qu'un instant ? Pire encore, tout un week-end !

Le reste du trajet se déroula dans un silence absolu. Avant de se garer sur le parking, Ethan déposa Gina devant les portes coulissantes situées à l'entrée de l'hôpital. Elle courut jusqu'au bureau d'accueil, où on lui fournit les indications pour accéder au service de cardiologie. Elle s'y rendit aussitôt.

Lorsque Ethan la rejoignit, elle avait été reçue par Josh et Olivia Brady — la fiancée de Josh, et l'une des meilleures amies de Gina —, elle s'était entretenue avec le médecin, et elle avait rejoint son père dans la chambre, où il dormait. Ethan ne faisant pas partie de la famille, il n'était pas autorisé à y entrer. Après être restée une dizaine de minutes auprès du patient, Gina sortit et rejoignit le petit groupe dans la salle d'attente.

— Tout va rentrer dans l'ordre, déclara aussitôt Josh, tandis que sa fiancée prenait affectueusement Gina dans ses bras.

A l'instar d'Ethan, Olivia et Josh portaient un jean et un T-shirt. Olivia avait relevé sa blonde chevelure en queue-de-cheval. Les cheveux noirs de Josh étaient tout ébouriffés, comme s'il n'avait cessé d'y plonger les doigts.

— Oui, je sais.

— Ethan m'a dit que tu envisageais de renvoyer Gerrick à Atlanta, pour qu'il dirige la boîte pendant que tu es ici.

— En fait, je pense que vous devriez tous rentrer.

— Mais…

— Il n'y a pas de « mais », déclara Gina en secouant la tête. Je vais bien. Papa risque de ne pas se rétablir avant quelques semaines, et si nous restons tous à son chevet, c'est l'entreprise qui ne tardera pas à se porter mal.

— Pas à cause de moi, en tout cas, objecta Olivia. Je n'y travaille plus depuis une semaine.

— Tu as pris un congé pour préparer ton mariage.

— Qui aura lieu dans un mois. Il se trouve que tout est commandé, réservé, et que je n'ai plus qu'à attendre. Autant attendre ici ! Qui plus est, le cardiologue nous expliquait, juste avant ton arrivée, que Hilton pourra être transporté dans un hôpital d'Atlanta dès qu'il sera en mesure de voyager.

La jeune femme croisa les bras et fixa Gina avant d'ajouter :

— En attendant, je reste ici avec toi.

— Bon, d'accord.

— Voilà donc qui est réglé. Passons à autre chose, maintenant. Depuis quand n'as-tu pas mangé ?

— Depuis le petit déjeuner.

— Depuis… le petit déjeuner ? répéta Olivia, horrifiée.

— L'heure du petit déjeuner à Las Vegas est celle de votre déjeuner, donc ça ne remonte pas à si longtemps.

— *Las Vegas* ? répétèrent de concert Ethan et Josh, avant d'échanger un regard spéculateur.

— Ne mélangeons pas tout…, dit-elle d'une voix mal assurée.

Elle regrettait soudain que Gerrick ne soit pas à son côté. Au moment même où cette pensée s'insinuait en elle, elle la chassa. Ils avaient commis une erreur. S'appuyer sur lui constituait une erreur. Les membres de la société étaient payés pour exercer certaines fonctions. Elle n'avait rien d'autre à attendre d'eux. Elle n'était peut-être pas apte pour l'instant à diriger Hilton-Cooper-Martin, mais elle le serait un jour, et il fallait pour cela qu'elle apprenne à se montrer forte.

Comme il n'y avait pas d'autre vol direct pour Pittsburgh, Gerrick dut faire une escale, puis louer un véhicule à l'aéroport de Pittsburgh et rejoindre Johnstown en voiture. Il était donc presque minuit lorsqu'il arriva enfin à l'hôpital. Quand il entra dans la salle d'attente du service de cardiologie, Gerrick ne vit ni Ethan McKenzie ni Josh Anderson, et en déduisit qu'ils étaient déjà repartis pour Atlanta.

Vêtue d'un jean et d'un vieux T-shirt, comme si elle était partie à l'instant même où elle avait appris la mauvaise nouvelle, Olivia Brady dormait dans un canapé en Skaï. Debout, le front collé à la vitre de la fenêtre, Gina regardait les lumières de la ville.

— Je suis venu aussi vite que possible, dit-il en la rejoignant.

Il lui posa les mains sur les épaules, afin qu'elle se tourne vers lui et qu'il puisse la prendre dans ses bras. Si elle ne tenta pas de se soustraire à son étreinte, elle resta néanmoins campée dans une attitude rigide.

— Merci, Gerrick. Il se trouve que… après avoir réfléchi et discuté avec Ethan et Josh, je pense que tu devrais retourner à Atlanta pour prendre les rênes de l'entreprise.

— Mais je…

— Tu es le seul d'entre nous qui soit capable de le faire. Raison pour laquelle tu occupes le poste de vice-président, d'ailleurs. Pas plus Ethan que Josh ou moi ne sommes aptes à gérer les affaires courantes.

Gerrick se passa la langue sur les lèvres.

— Mmm… Tu as raison, dit-il avec un regard en direction d'Olivia, toujours allongée à deux mètres d'eux.

Ils n'avaient informé personne de leur mariage, et au cas où la jeune femme n'aurait pas dormi aussi profondément qu'elle en avait l'air, il préférait se montrer prudent. Dans la mesure où Gina et lui s'en étaient toujours tenus à des rapports professionnels et courtois, il était prêt à parier qu'Olivia serait aussi choquée par cette nouvelle qu'elle l'avait été en apprenant que Hilton venait d'être victime d'une crise cardiaque.

— Comment va ton père ?

— En ce moment, il se repose.

Frustré de ne pouvoir parler en toute liberté avec Gina, il la guida vers le couloir. Là, il prit entre les siennes ses mains glacées et les serra.

— Que se passe-t-il au juste, Gina ?

Cette dernière plongea la main dans la poche de son pantalon, en sortit la bague qu'il lui avait offerte, et la lui tendit.

— Gerrick… je ne me sens pas à même d'assumer ce genre de situation maintenant…

Il eut l'impression qu'on lui broyait le cœur, mais fit comme si de rien n'était.

— Je le sais, dit-il en glissant la bague dans la poche de son jean.

Il ne pensait pas qu'elle souhaitait rompre avec lui, mais simplement qu'elle lui rendait la bague par mesure de sécurité. Il n'était pas très prudent, en effet, de garder sur elle un bijou d'une telle valeur.

— Nous parlerons quand tu reviendras, ajouta-t-il à voix basse.

— D'après les médecins, papa ne pourra pas voyager avant une semaine. L'un de ses amis d'Atlanta est cardiologue. Je l'ai appelé. Le Dr Brown sera là demain et prendra une décision après l'avoir examiné. Je ne saurai donc rien de précis jusque-là.

Gerrick hocha la tête.

— De ce fait, il n'y a aucune raison pour que tu restes dans les parages, ajouta-t-elle.

— Je peux très bien…

Mais Gina ne le laissa pas poursuivre.

— Pour ne rien te cacher, je préférerais que tu rentres. Olivia a décidé de me tenir compagnie. Josh et Ethan sont déjà repartis.

Gina marqua une courte pause et lâcha un soupir.

— Je pense que… ce sera mieux ainsi.

— Nous sommes assez liés, ton père et moi, Gina, objecta-t-il. Ça risque de paraître étrange que…

— Josh, qui est son neveu, est parti. Il n'y a donc rien d'anormal au fait que tu retournes à Atlanta. Ce qui semblerait étrange, ce serait au contraire que tu restes…

— D'autant que mes compétences me permettent de remplacer Hilton, observa-t-il avec calme.

Il était évident que Gina ne changerait pas d'avis ; dans cette situation particulièrement difficile pour elle, il préférait lui laisser la direction des opérations.

— Exactement, répondit-elle.

— Est-ce que je peux le voir ?

— Il n'y a que la famille qui soit autorisée à…

— Je *fais partie* de la famille, Gina.

Elle déglutit et hocha la tête avant de regarder par-dessus son épaule, sans doute pour s'assurer qu'Olivia dormait toujours. Après quoi elle se dirigea vers le bureau des infirmières, situé au fond du couloir et, à voix basse, dit à l'infirmière de garde que Gerrick était son mari et qu'il souhaitait voir Hilton. Celle-ci leur donna l'ordre de ne pas rester plus de cinq minutes dans la chambre.

Ils y entrèrent. Après avoir longuement regardé celui qui était son idole, son mentor, son ami, rattaché à la vie par quelques tubes, Gerrick serra les lèvres et, d'un geste du menton, signifia à Gina qu'il était temps de sortir.

— Tu m'accompagnes jusqu'à l'ascenseur ?

Le soulagement que trahit le visage de la jeune femme lorsqu'il prononça ces mots lui fit mal, mais cette fois encore, il choisit d'ignorer sa réaction. Après avoir vu Hilton, il comprenait qu'elle soit très affectée par ce tragique événement. Si elle devait de surcroît assumer les complications d'un mariage impromptu…

Il était toutefois conscient des risques que comportait son départ. Gina pouvait très bien, durant les quelques jours que durerait leur séparation, décider qu'elle souhaitait mettre un terme à cette union. Mais insister pour rester auprès d'elle et annoncer officiellement leur mariage représentait le plus sûr moyen de la perdre, il en était conscient.

Comme ils se dirigeaient vers l'ascenseur, il la prit par la main. N'importe qui aurait considéré ce geste comme un témoignage d'amitié. Gerrick savait, lui, qu'il s'était déjà glissé dans la peau de l'amant, et même du mari. Ils n'avaient guère passé que quarante-huit heures ensemble, mais s'il devait renoncer à elle, il ne s'en remettrait pas.

Après avoir appuyé sur le bouton pour appeler l'ascenseur, il enlaça Gina. Elle se laissa aller contre lui, et il profita de cet instant d'intimité pour l'embrasser doucement. Comme il s'engouffrait dans la cabine, elle lui adressa un bref sourire et agita la main en signe d'adieu. Mais ce sourire et ce geste n'eurent pas le pouvoir de le rassurer. Tout comme ce matin-là, à Las Vegas, elle ne lui avait pas rendu son baiser.

*
**

Durant les jours qui suivirent, Gina ne répondit qu'à un seul des appels de Gerrick. Au cours de cette conversation, elle lui expliqua que le Dr Brown avait jugé l'état de santé de Hilton assez grave pour nécessiter la pose d'un cathéter sur place, sans attendre son retour à Atlanta.

Josh et sa mère, la sœur de Hilton, se rendirent en Pennsylvanie pour être auprès de Gina pendant l'intervention, qui se déroula sans le moindre problème. Josh repartit pour Atlanta le vendredi, et annonça aux proches du patient que les pronostics étaient bons, et qu'il serait transféré à Atlanta dans une semaine environ. Là, il devrait subir un pontage coronarien.

Comme la situation semblait s'être stabilisée, Gerrick décida de prendre un avion pour Johnstown, le week-end. Il ne s'attendait pas à ce que Gina annonce leur mariage, et n'envisageait d'ailleurs pas de jouer le rôle de mari. Il désirait simplement la voir, s'assurer qu'elle allait bien, s'assurer aussi que Hilton allait pour le mieux, en pareilles circonstances. Il souhaitait faire son possible pour aider ces gens, qui étaient désormais sa famille.

Lorsqu'il entra dans la chambre particulière de Hilton, il y trouva Gina et l'ami de Hilton, le Dr Brown, en train de rire et de bavarder avec le patient. Si les cheveux blancs de ce dernier étaient tout ébouriffés par l'oreiller, son regard bleu n'avait rien perdu de sa vivacité.

— Gerrick ! s'exclama-t-il, avec tout l'enthousiasme dont était capable un homme ayant eu une sérieuse alerte cardiaque. Entre donc, mon garçon. Pourquoi diable es-tu donc venu jusqu'ici ?

— Pour vous rendre visite, Hilton.

Il accompagna ces mots d'un grand sourire, soulagé de constater que Hilton se rétablissait.

— Je vais bien, merci. Comment ça se passe, au boulot ?

Le Dr Brown toussa en fronçant les sourcils.

— Je croyais t'avoir demandé d'éviter ce sujet, tant que tu ne seras pas passé sur la table d'opération…

— Quel trouble-fête tu fais ! déclara-t-il avec une grimace comique.

Le regard de Gerrick s'était posé sur Gina. Elle portait ce jour-là un jean et un ample pull vert amande, qui accentuait les reflets dorés de ses cheveux. Si elle lui parut plus jolie que jamais dans cette tenue décontractée, il remarqua aussi quelque chose de différent en elle. Quelque chose d'insaisissable, mais de réel.

— Bonjour, Gina.

— Bonjour, Gerrick.

Dans la mesure où ils n'étaient pas seuls, il accepta cette réponse polie. Mais lorsqu'il lui sourit, elle détourna le regard.

— Puisque mon ami Brown m'interdit de parler business, reprit Hilton, s'adressant cette fois à sa fille, j'aimerais bien que tu sortes dans le couloir avec Gerrick, Gina, pour qu'il te tienne au courant de ce qui se passe dans l'entreprise.

— Je n'ai rien de particulier à raconter, déclara Gerrick. Les affaires suivent leur cours habituel.

Hilton pointa néanmoins la porte du menton, les invitant ainsi à quitter la pièce. Comme le patient n'avait pas été transféré à un autre étage, Gerrick reconnut les lieux, et chercha un coin privé, où il lui serait possible de prendre la jeune femme par la main sans être vu.

Ils s'assirent dans une sorte d'alcôve et, comme il tendait la main vers elle, Gina secoua la tête.

— Non !

— Je voulais juste te tenir par la main. Ne t'inquiète pas, Gina, je n'envisage pas de dire ou de faire quoi que ce soit qui puisse te plonger dans l'embarras, déclara-t-il d'un ton calme.

Je n'ai pas non plus l'intention d'annoncer notre mariage. Tu ne cours aucun risque.

— Ecoute, Gerrick… Le pire est passé, à présent. J'ai eu le temps de réfléchir, et je sais que je ne me sentirai vraiment en sécurité que lorsque nous aurons discuté de notre mariage.

— Soit. Dans ce cas, parlons-en.

Gina redressa les épaules et le menton, comme si elle s'apprêtait à défendre ses idées au cours d'une réunion professionnelle.

— J'ai bu plus que de raison, le soir de notre mariage. Au point de ne pas m'en souvenir… De ne pas me souvenir non plus si ce mariage avait été consommé ou pas.

Soutenant son regard sans ciller, elle poursuivit :

— Je suppose que oui. Mais je ne garde aucun souvenir de ce qui s'est produit, et je considère donc qu'il s'agissait d'une erreur.

— Pas moi.

En dépit de la stupeur qu'avait provoquée en lui cette déclaration, il avait réussi à s'exprimer d'une voix sereine.

Elle ne se rappelait rien.

Voilà qui expliquait ses hésitations, ce matin-là, au réveil. Ainsi que son attitude distante, sur le vol de retour. Mais alors, pourquoi l'avait-elle embrassé, à l'aéroport d'Atlanta ? Et pourquoi avait-elle accepté qu'ils se rendent ensemble chez Hilton — afin de lui annoncer leur mariage, cela allait de soi !

— Gina… je pense plutôt que le moment était mal choisi. Je suis prêt à attendre des semaines, des mois même, s'il le faut, pour que tu comprennes qu'il ne s'agissait pas d'une erreur.

Après une courte pause, il lui prit la main et la serra dans la sienne.

— Je t'aime, Gina.

— Non, tu ne m'aimes pas, répliqua-t-elle d'un ton détaché, en s'écartant le plus possible de lui. Nous avons passé un excellent week-end ensemble, mais nous ne nous aimons pas. Je te connais à peine, Gerrick.

— Nous nous sommes rencontrés pour la première fois il y a douze ans, et nous travaillons ensemble depuis six ans.

Gina secoua la tête.

— On ne connaît pas réellement les gens avec lesquels on travaille.

— Il nous est aussi arrivé à quelques reprises de déjeuner ou de boire un verre ensemble. Mais qu'essaies-tu de me dire, au juste ? Que tu me caches un terrible secret ?

— Non. Plutôt, que nous nous sommes engagés sur une mauvaise voie, et que je souhaite faire machine arrière.

Elle enfouit les doigts dans son épaisse chevelure blonde, et lâcha un long soupir avant de reprendre :

— Compte tenu de mes problèmes actuels, liés à l'état de santé de mon père, je n'ai pas l'énergie nécessaire pour discuter comme il le faudrait de cette situation. Je n'ai même pas le temps de me montrer aussi diplomate que je devrais l'être ! Toi non plus, d'ailleurs, tu ne disposes pas de beaucoup de temps. De nouvelles fonctions t'attendent.

— C'est drôle... La semaine dernière, tu décrétais que j'étais le seul capable de remplacer ton père au pied levé. Tu voudrais que je parte, maintenant ?

— Tu *dois* partir, Gerrick. Tu dois vivre ta vie, et moi la mienne.

— Je vois, répondit-il sèchement avant de se lever.

Qu'était-il advenu de la merveilleuse Gina ? De la femme tendre et passionnée qui avait choisi des sous-vêtements en dentelle rouge dans la boutique de l'hôtel ? De celle qui s'était abandonnée avec délices dans ses bras, faisant de lui le plus heureux des hommes ? De celle qui l'avait demandé en mariage...

— Il ne me reste donc plus qu'à retourner à Atlanta.

Sans mot dire, elle hocha la tête.

— Je vais d'abord saluer Hilton.

— Je te rejoins dans une minute, dit-elle.

Qu'elle ait besoin de se ressaisir avant de rentrer dans la chambre de son père n'apporta à Gerrick aucun réconfort. Suivant les ordres des médecins, il ne révéla pas au patient que Gina venait en quelque sorte de lui demander de quitter l'entreprise. Il continua de sourire, ne se départit pas de son attitude amicale, ni même de son entrain apparent. Ce n'est qu'après avoir franchi les portes de l'aéroport de Johnstown qu'il eut l'impression que le monde s'écroulait autour de lui.

Il aimait Gina depuis des mois. Avant qu'on ne lui propose ce poste dans le Maine, il avait eu l'intention de l'inviter à dîner, afin de tester ses chances auprès d'elle. Certes, il ne lui avait pas parlé de sa famille, mais elle en savait autant sur lui que n'importe qui. Il savait aussi qu'il l'aimait, et que sans elle, sa vie serait presque dépourvue de sens.

Blessé, il envisagea de ne pas partir pour le Maine, d'attendre qu'elle revienne à Atlanta pour essayer de lui faire entendre raison. Mais elle lui avait exposé très clairement ses désirs. S'il restait, elle n'interpréterait pas cette décision comme une preuve d'amour. Elle se battrait bec et ongles pour qu'il se range à son avis.

Il y avait pire. Si elle prétendait ne pas le connaître, cela signifiait qu'elle n'avait prêté aucune attention à lui et à ses manœuvres pour l'approcher, au cours de ces derniers mois. Et si elle ne le connaissait pas, elle ne pouvait pas l'aimer, contrairement à ce qu'elle avait affirmé à maintes reprises durant leur nuit de noces.

Elle ne l'aimait pas.

Il eut l'impression que ces mots lui vrillaient le cœur, et décida de couper court à ses pensées. Il ne devait pas s'aventurer sur cette pente. Elle était trop dangereuse. Il savait trop ce qu'il advenait, quand on se laissait submerger par le chagrin.

Il fréquentait encore l'école primaire quand son père était parti, mais il en avait beaucoup souffert. Il avait passé le jour de Noël assis sur une chaise, près de la fenêtre, à regarder tomber la neige en attendant que son père revienne. Et comme celui-ci ne revenait pas, le garçonnet de six ans s'était senti brisé de l'intérieur.

Puis, quand il avait douze ans, sa mère l'avait emmené pour les grandes vacances chez sa sœur, et n'était jamais revenue le chercher. Sans un mot d'explication, pour lui ou pour sa tante. La peine qu'il avait éprouvée cette fois-là, à l'approche de l'adolescence, avait été d'une tout autre nature. Personne ne voulait de lui, et il le savait.

Les quatre années suivantes avaient été empreintes de colère et de rébellion. A l'âge de seize ans, tout avait changé. Il avait soudain compris que la seule personne sur laquelle il pouvait compter, c'était lui — ce qui n'était pas plus mal, puisqu'ainsi, il était en mesure de contrôler ce qu'il faisait.

Sa vie prit alors un tournant miraculeux. Il trouva un emploi, ce qui lui permit de subvenir à ses besoins. Il commença à avoir de meilleurs rapports avec son oncle et sa tante, et, peu à peu, se fit des amis au collège. S'il ne cherchait plus à éviter les gens, il se montrait toutefois prudent. Cette prudence lui venait naturellement de ses expériences malheureuses.

Mais avec Gina, il avait oublié ce qui était devenu pour lui une règle élémentaire. Il avait permis à ses émotions de prendre le dessus, et aujourd'hui, il souffrait autant qu'il avait souffert autrefois.

A la différence près que, cette fois, il avait choisi son destin. Il avait forgé un plan qu'il n'avait pas suivi. La demande en mariage de la jeune femme avait balayé tout ce qu'il y avait de rationnel en lui.

D'une certaine façon, la douleur engendrée par cet échec était encore plus cuisante qu'elle ne l'avait été les fois précédentes. Parce que la responsabilité lui en incombait.

Durant le vol de retour, il rédigea un rapport détaillé destiné à Josh Anderson. Il préférait ne pas penser à Gina, à tout ce qu'elle lui avait dit… Ne pas penser non plus à sa propre stupidité. Quel idiot ! Epouser Gina à la hâte, au lieu de lui laisser le temps de venir à lui, de partager ses sentiments…

Le lundi matin, il convoqua Josh Anderson et Ethan McKenzie dans le bureau de Hilton, qu'il utilisait depuis qu'il remplaçait ce dernier. En le voyant, nul n'aurait deviné combien il souffrait. Gerrick gardait ses émotions tellement enfouies en profondeur qu'il avait lui-même du mal à en mesurer toute l'étendue.

— Qu'y a-t-il ? lui demanda Josh en s'installant en face de lui. J'ai appris que tu étais allé ce week-end en Pennsylvanie. Comment va Hilton ?

— Il est toujours affaibli, mais en bonne voie de rétablissement, répondit-il, tandis que Ethan, qui venait d'arriver à son tour, refermait la porte derrière lui. Et dans la mesure où il se remet si vite, nous devons aborder certains points importants. Tout d'abord, je n'en ai parlé à personne, mais…

Comme il marquait une pause, Ethan, visiblement amusé, finit la phrase à sa place.

— Mais il se trame quelque chose entre Gina et toi !

Josh, qui souriait lui aussi, hocha la tête.

— Olivia m'a dit que tu étais entré dans la chambre de Hilton le soir même de son hospitalisation, alors qu'aucun de nous n'y était autorisé, puisque nous ne faisons pas partie de sa famille proche. Elle en a donc déduit que…

Gerrick tendit la main pour l'interrompre.

— Ce sont des déductions erronées. Il ne se trame *rien* entre Gina et moi, pour reprendre ton expression. Nous sommes allés ce week-end à Las Vegas pour fêter mon nouvel emploi…

Cette fois, ce fut Ethan qui lui coupa la parole.

— Un nouvel emploi ? répéta-t-il, apparemment étonné et contrarié.

— Tu as bien entendu. Cette semaine devrait être la dernière de mon préavis, mais je pars plus tôt que prévu. Je quitterai mes fonctions dès ce soir. Hilton est au courant de ce changement professionnel depuis le tout début. C'est même lui qui m'a chaudement recommandé auprès de mon nouveau patron, et qui m'a donné des conseils pour l'entretien d'embauche.

Josh, lui aussi, avait cessé de sourire.

— Tu es en train de nous expliquer que… tu ne seras plus là demain ?

— Tout juste.

Sur ce, Gerrick se leva et se mit à faire les cent pas dans la pièce. Il n'était pas d'un naturel nerveux, mais le fait de chercher à tout prix à se contenir provoquait en lui des impulsions qu'il avait du mal à maîtriser. Il y parvint toutefois, au prix d'un effort, et vint se placer en face des deux hommes, auxquels il sourit.

— L'un de vous deux va devoir prendre la direction des opérations.

— D'un point de vue logique, ce rôle te revient, dit Ethan à Josh. Tu es plus au courant que moi du contenu de nos stocks et de leur gestion.

Il se tourna alors vers Gerrick.

— Je ne te cacherai pas que ton attitude me choque. Quitter l'entreprise alors que Hilton est malade…

— Le poste qui m'a été proposé est celui de P.-D.G. d'une chaîne de supermarchés dans le Maine. Le type qui dirigeait cette chaîne part à la retraite, et la compagnie est en pleine expansion. Une occasion pareille ne se présente pas tous les jours…

— Ce n'est pas non plus tous les jours que Hilton Martin a besoin de nous tous à ce point !

— C'est lui-même qui m'a encouragé à partir.

— Et qu'en pense Gina ? lança Josh.

L'ironie de la situation n'échappa pas à Gerrick, qui sourit néanmoins.

— Elle se réjouit de mon départ.

Et ce n'était pas un euphémisme ! songea-t-il.

— Elle est également persuadée que vous vous tirerez très bien d'affaire sans moi.

Ethan posa bruyamment les mains sur les accoudoirs de son fauteuil en cuir.

— Dans ce cas, pars ! lâcha-t-il d'un ton sec.

— Nous nous débrouillerons sans toi, déclara Josh, tout aussi peu amène.

Ils sortirent sans un mot de plus, et Gerrick se passa lentement la main sur le visage. Il venait de perdre deux amis.

Il avait d'abord épousé Gina, et l'avait ainsi exclue de son existence. Puis, pour se conformer aux exigences de la jeune femme, il devait quitter dans les plus brefs délais l'entreprise Hilton-Cooper-Martin, mettant ses amis dans une situation difficile — et par la même occasion, passant pour le dernier des mufles. Seuls ses rapports avec Hilton ne s'étaient pas altérés, ces derniers temps. Mais il doutait que le grand patron continue à le tenir en haute estime, s'il avait vent d'un certain mariage à Las Vegas…

Quinze jours à peine plus tôt, il rêvait d'une seule chose : que Gina le remarque, qu'elle l'épouse avant son départ pour le Maine. Devenu réalité, ce rêve s'était transformé en cauchemar.

*
* *

Après avoir installé son père dans une chambre de l'hôpital d'Atlanta, Gina arriva à la maison le vendredi suivant, épuisée mais heureuse : l'état de santé de Hilton s'améliorait de jour en jour. Elle donna un généreux pourboire au chauffeur, qui avait aligné ses bagages et ceux de son père dans le hall d'entrée de la demeure familiale.

La première chose qu'elle vit en refermant la porte, ce fut une enveloppe posée sur le guéridon. Comme son nom était inscrit sur cette enveloppe, elle la prit et la décacheta.

Elle lut les quelques lignes, et ses yeux s'emplirent de larmes.

« Je regrette.

Gerrick. »

« PS : Je t'aimais. Et il est bien possible que je t'aime longtemps encore. »

Accablée, Gina s'assit sur la première marche de l'escalier en colimaçon qui conduisait à l'étage supérieur. Elle ne mettait pas en doute la sincérité de Gerrick. *Il l'aimait.* Ou, du moins, il aimait la femme de Las Vegas, celle qu'il avait épousée.

Si Gina ignorait qui était cette femme, elle savait en revanche qu'elle avait disparu à jamais. D'autant plus qu'elle se doutait bien que, dès son retour dans la vie active, son père la préparerait à assumer de plus en plus de responsabilités, et qu'elle serait de moins en moins disponible.

Il était donc préférable que Gerrick suive le cours normal de son existence, qu'il parte dans le Maine, qu'il occupe ses nouvelles fonctions.

La véritable Gina Martin n'était pas une adepte des jeux de hasard, et ne portait pas des sous-vêtements en dentelle rouge qu'elle lançait dans la chambre.

Gerrick serait plus heureux sans elle.

Elle serra les lèvres pour les empêcher de trembler, mais ne parvint pas à tarir le flot de ses larmes. Si certaines zones — les plus importantes ! — de ce week-end à Las Vegas restaient dans l'ombre, elle gardait toutefois le souvenir d'avoir vécu des moments très heureux. Les plus heureux de toute son existence.

Mais il lui fallait maintenant retourner dans le monde réel.

3.

Entre le temps passé à Hilton-Cooper-Martin et celui qu'elle consacrait à son père, Gina n'eut guère l'occasion de laisser son esprit vagabonder. Quand l'image de Gerrick parvenait tout de même à s'y infiltrer, elle éprouvait une sensation de manque vertigineuse, qu'elle avait du mal à ignorer. Dans ces moments-là, elle cherchait à se convaincre qu'elle se souciait de son sort, comme de celui de n'importe quel collègue proche qui aurait quitté l'entreprise.

Elle réussit d'ailleurs presque à s'en persuader. Et ce d'autant plus facilement que les jours s'écoulaient sans qu'il donne signe de vie. Le fait qu'il n'appelle pas — pas même pour avoir des nouvelles de Hilton — prouvait bien que, s'il avait eu pour elle des sentiments, il n'en restait plus rien. En conséquence, il était inutile de s'interroger sur la nature de ce qu'il éveillait en elle.

Le retour de Gina à Atlanta remontait à un mois quand, un lundi matin, alors qu'elle prenait le petit déjeuner avec son père dans la maison familiale, celui-ci annonça qu'il envisageait de se rendre au siège social de l'entreprise. Il ajouta qu'il souhaitait qu'elle convoque les employés à 10 heures à la cafétéria. Elle allégua qu'il était trop tôt encore pour qu'il revienne, même s'il paraissait en assez bonne forme. Ce à quoi

Hilton rétorqua qu'il avait informé le Dr Brown de son désir, et que ce dernier ne s'y était pas opposé.

Pour finir, dans la mesure où il devait encore se doucher et s'habiller, il lui suggéra de partir avant lui. Sitôt arrivée dans les locaux, Gina envoya un e-mail à tous les chefs de service, leur demandant de réunir les personnes travaillant sous leurs ordres à l'heure et au lieu dits. Après quoi, elle chargea les employés attachés à la maintenance des locaux de disposer les sièges de la cafétéria en forme d'amphithéâtre, et d'y placer une estrade avec une table.

A 10 heures précises, Gina était assise avec les autres cadres supérieurs, lorsque Hilton entra dans la grande salle et monta sur le podium qui lui était réservé. Elégant et distingué, dans un costume marine qui mettait en valeur ses cheveux blancs ainsi que ses yeux bleu pâle, il sourit à l'assemblée qui, dès qu'il avait passé le seuil, s'était levée et l'acclamait. Gina sentit son cœur se gonfler d'amour et d'orgueil. Son père était l'homme le plus beau de la terre !

Pareille à un flash, une image de Gerrick lui apparut soudain, apportant un démenti à cette pensée. Elle s'empressa de reléguer cette vision au fond de son esprit. Certes, il ne manquait pas de séduction, mais il n'était plus là. A quoi bon revenir sur le passé ? A quoi bon perdre son temps à songer à un homme qu'elle avait épousé, et qui n'avait pas pris la peine de l'appeler depuis son départ ?

Il était parti. *Parti !*

La voix de Hilton la ramena à la réalité.

— Asseyez-vous donc ! Sans quoi je vais finir par croire que je vous ai manqué…

Les rires fusèrent dans l'assemblée. Puis tout le monde s'assit, et le silence se fit de nouveau.

— J'imagine que vous vous demandez pourquoi j'ai voulu vous réunir ici ce matin. Certains doivent même s'interroger sur le motif de ma présence dans l'entreprise. Eh bien, je vais m'efforcer de satisfaire votre curiosité. En premier lieu, je tiens à vous remercier pour les nombreux témoignages d'amitié que vous m'avez fait parvenir durant mon long séjour à l'hôpital. Sachez que tous ces bouquets, ces romans, ces friandises, m'ont remonté le moral à un moment où j'en avais bien besoin.

Comme elle écoutait son père parler, Gina se sentit gagnée par un profond sentiment de soulagement. Hilton avait l'air encore un peu fatigué. A vrai dire, cela se remarquait à peine. Tout rentrerait dans l'ordre dès qu'il aurait subi l'opération qui l'attendait. Elle supposait d'ailleurs que c'était l'approche de cette intervention chirurgicale qui avait provoqué son retour prématuré dans l'entreprise. Il tenait sans doute à mettre les choses en place avant de s'absenter de nouveau pour une longue période. Il allait maintenant confier officiellement à Josh le poste de P.-D.G., jusqu'à ce qu'il soit lui-même apte à occuper de nouveau ce fauteuil.

— Mais ce n'est pas tout, reprenait déjà Hilton. J'ai souhaité vous rassembler pour vous annoncer ma décision de me retirer du monde des affaires.

— Comment ?

Cette question, Gina n'était pas la seule à l'avoir posée. Elle n'était pas la seule non plus à afficher un air sidéré. Ethan, Josh et tous les autres paraissaient eux aussi stupéfaits.

Hilton avait coutume de leur réserver des surprises. Cette fois, la surprise avait des allures de catastrophe. Pas plus Ethan que Josh ou elle-même n'était capable de le remplacer. Ils avaient réussi à faire fonctionner l'entreprise en l'absence de Hilton parce qu'il s'agissait d'une solution à court terme. Il en irait tout autrement si la situation devenait définitive.

— Je n'ai informé personne de ma décision, ajouta-t-il, avec un regard d'excuse pour sa fille et les deux autres principaux dirigeants de Hilton-Cooper-Martin. Parce que je voulais avant toute chose m'assurer que la personne que j'ai choisie pour me remplacer pourrait accepter ma proposition. Comme j'ai reçu ce matin un coup de fil de mon successeur, me donnant la réponse que j'attendais, j'ai pensé qu'il n'y avait désormais aucune raison de retarder cette… passation de pouvoirs. Oui, je crois que c'est l'expression qui convient.

Dans la salle, tout le monde semblait abasourdi. Gina fixait son père. Ces révélations étaient surtout déstabilisantes pour elle. Ethan resterait à son poste, au service juridique. Josh, qui s'était jusque-là substitué à Hilton, retrouverait les fonctions qu'il occupait un mois plus tôt. C'était elle qui serait la plus affectée par le départ anticipé de son père.

Cela signifiait qu'un autre que lui la préparerait à assumer un jour les fonctions de P.-D.G. C'était un étranger qui lui apprendrait à diriger l'entreprise, à tirer les ficelles, et elle n'était pas certaine que cela l'enchante.

— Cette crise cardiaque a été pour moi une expérience effrayante. Mais elle m'a également permis d'ouvrir les yeux.

Il se pencha en avant et, souriant, balaya l'assemblée de ce regard amical dont il gratifiait ses employés. Gina était bien placée pour savoir qu'il ne s'agissait pas d'une tactique destinée à obtenir de ceux-ci de meilleurs résultats. Il les connaissait tous, les appréciait tous, les considérait un peu comme les membres de sa famille.

— J'ai envie de jardiner, enchaîna-t-il. De jouer au golf. De voyager, aussi. Peut-être même de chercher quelqu'un avec qui partager ma vie.

— Vous allez vous marier ? lança quelqu'un.

— J'espère bien avoir cette chance ! Ces dernières années, je n'ai pas eu trop de temps à consacrer à ces choses-là. Ma vie amoureuse ressemble au désert de Gobi.

Cette déclaration fut saluée de rires.

— Ce que je voudrais, en fait, c'est mener une existence normale, reprit-il lorsque son auditoire se fut tu. Je pense que ce rêve est réalisable. Est-ce que j'ai raison ?

Des « oui » enthousiastes fusèrent, et il hocha la tête.

— Bien. Vous approuvez donc ma décision ?

Les employés se levèrent à l'unisson et se mirent à applaudir. Gina s'était jointe à eux sans hésiter un seul instant. L'état de santé de son père, encore déficient, nécessitait une intervention chirurgicale, et il avait désormais envie de profiter de la vie. Comment aurait-elle pu ne pas le soutenir dans cette démarche ? Même si cela impliquait qu'elle doive être formée par un étranger.

Les applaudissements n'en finissaient pas, et Hilton dut tendre les bras pour imposer le silence.

— Encore une fois, merci pour toute la sympathie que vous me témoignez. Puisque je bénéficie de votre attention, je vais en profiter pour vous rappeler qu'un pontage coronarien m'attend dans huit semaines. Ce qui implique que je n'ai pas le droit de me tromper en choisissant mon successeur. Il faut que je sois sûr qu'avec lui aussi, vous donnerez le meilleur de vous-mêmes.

De nouveaux applaudissements retentirent.

— Vous êtes donc prêts à vous montrer coopératifs ? insista Hilton avec un grand sourire.

La réponse, toujours aussi chaleureuse, fut immédiate.

— Parfait. Il ne me reste donc plus qu'à vous donner le nom de votre nouveau P.-D.G. Il s'agit de... Gerrick Green !

Les visages, jusque-là réjouis, affichèrent de nouveau la stupéfaction. En entendant ce nom, Gina s'était pétrifiée. Si Gerrick remplaçait son père, c'était lui qui la préparerait aux fonctions de future P.-D.G. qui l'attendaient. En d'autres termes, elle passerait beaucoup de temps en sa compagnie, durant les années à venir.

— D'ailleurs, à l'heure qu'il est, Gerrick se trouve déjà dans mon bureau.

Gina déglutit péniblement.

— Mais il a donné sa démission, s'exclama un employé. Il a quitté la boîte en pleine crise !

— Personne ne sait exactement pourquoi il nous a quittés de façon aussi précipitée.

Si Hilton s'était exprimé d'un ton neutre, il adressa cependant un bref regard à Gina, qui sentit son estomac se nouer davantage encore. Comment diable Gerrick avait-il présenté la situation à son père ?

Il n'avait tout de même pas…

— Six mois avant ma crise cardiaque, Gerrick a répondu à l'annonce de la chaîne de supermarchés du Maine pour laquelle il a quitté Hilton-Cooper-Martin. Le processus d'embauche a été long et difficile, parce que les principaux actionnaires de la compagnie sont des gens âgés et méfiants. Mais au fil du temps, il a su les convaincre qu'il correspondait parfaitement au profil de l'homme qu'il leur fallait.

— Et pourquoi n'est-il pas resté là-bas ? demanda quelqu'un.

— Par loyauté envers nous. Quand je l'ai appelé pour lui annoncer que j'avais décidé de prendre ma retraite et que je souhaitais qu'il me remplace, il n'a pas hésité. Il m'a dit qu'il allait présenter sa démission auprès de ses nouveaux employeurs pour « cas de force majeure » — je le cite —, et qu'il les aiderait à trouver un nouveau P.-D.G. Ce qu'il a fait, avant de nous rejoindre.

Gina, qui avait écouté attentivement son père, se détendit. Manifestement, Hilton ignorait tout de leur mariage à Las Vegas. Elle se livra alors à un rapide calcul mental, qui ne la rassura pas. Son père avait dû appeler Gerrick dès son retour à Atlanta. Quelques jours à peine après le départ de celui-ci pour le Maine. Quelques jours à peine après qu'il lui eut laissé le message sur lequel il affirmait l'aimer.

Pourquoi Gerrick était-il revenu ? Et si… si c'était pour elle ?

Dieu du ciel ! Il avait le droit de revenir pour elle. Ils n'avaient pas divorcé. Elle était toujours mariée avec lui.

— Je ne vais pas vous demander une deuxième fois de vous montrer coopératifs avec Gerrick. Ce serait inutile. Je sais que je peux compter sur vous.

Ces mots furent salués d'un silence où perçait une émotion presque palpable, puis d'une salve d'applaudissements.

Satisfait de la réaction de ses employés, Hilton leur envoya des baisers avant de descendre de l'estrade pour avancer vers sa fille, qui était entourée de Josh et d'Ethan.

— Comme je l'ai dit, Gerrick se trouve dans mon bureau. Je voudrais que vous oubliiez tous les trois les différends que vous avez pu avoir avec lui ces derniers temps, et que vous lui fassiez sentir qu'il est le bienvenu. Mmm… Plus simple encore ! Venez avec moi.

Josh et Ethan acquiescèrent.

Trop troublée pour se retrouver soudain en face de Gerrick, Gina s'éclaircit la voix.

— Je… dois d'abord passer à mon bureau.

— Pour quoi faire ?

Pour reprendre mon souffle. Pour réfléchir à la situation. Peut-être même pour trouver un moyen de m'enfuir !

— Euh… quelque chose.

Hilton roula les prunelles.

— Ah, les femmes… Bon, ne tarde pas trop. Nous t'attendons dans mon bureau.

Sur un bref hochement de tête, elle se dirigea vers la sortie et traversa à vive allure le couloir. Une fois dans son bureau, elle s'empressa d'en refermer la porte et s'y adossa. Lorsque ses yeux se posèrent sur le miroir oblong, en face d'elle, elle grimaça. Elle était livide. D'instinct, elle sortit sa trousse à maquillage pour se farder et reprendre ainsi visage humain. Par chance, le temps clément de ce début de printemps lui permettait d'arborer un tailleur fuchsia qui lui donnait bonne mine. En contrepartie, cette tenue lui paraissait un peu trop délurée pour le rôle de femme d'affaires stricte qu'elle aurait voulu jouer ce matin-là.

Maintenant, avec ses joues et ses lèvres roses, elle ressemblait à une jeune épouse pressée de retrouver son mari… Cette pensée lui arracha un gémissement. Serrant les poings, elle se rappela que le mari en question n'avait pas daigné lui donner de ses nouvelles depuis son départ, qui remontait à un mois — et que de toute façon, ce mariage était une erreur. Mais l'image que lui renvoya le miroir était la même, et elle haussa les épaules en soupirant.

D'un geste machinal, elle fit mousser ses cheveux châtain doré. Cette coupe dégradée mi-longue donnait du volume à sa chevelure et mettait ses traits en valeur. Quand Gerrick la verrait, il la trouverait certainement jolie.

Un petit gémissement franchit ses lèvres. Où avait-elle la tête ? Elle n'allait quand même pas se lancer dans une entreprise de séduction… La situation ne lui semblait donc pas assez complexe ?

Mais les minutes s'égrenaient, et elle décida de remettre à plus tard cette séance d'introspection. Dans l'immédiat, elle devait se hâter de rejoindre son père. Que cela lui plaise ou pas, il faudrait qu'elle travaille avec Gerrick. D'un point de vue technique, le P.-D.G. et la directrice des Ressources humaines avaient peu de raisons de se croiser. A moins que Hilton n'ait chargé son successeur de la préparer sans trop tarder à occuper elle-même ce poste.

D'ici là, elle aurait le temps de se ressaisir. Car elle était dotée d'un esprit bien trop logique pour perdre son temps à rêver de quelqu'un qui ne s'était pas manifesté auprès d'elle pendant tout un mois. Quelqu'un qui ne l'aimait pas, quoi qu'il puisse prétendre.

C'était d'ailleurs elle qui avait décidé de mettre un terme à leur mariage. Et cela pour de très bonnes raisons. Des raisons qu'elle n'avait plus en tête en ce moment même, mais qui étaient sans nul doute excellentes. Ce n'était pas sa réaction émotive aux déclarations de son père qui l'inciterait à changer d'avis.

Forte de cette conviction, Gina redressa les épaules et s'apprêtait à sortir lorsque deux coups retentirent à la porte de son bureau. Elle ouvrit et, étonnée, se retrouva face à Hilton.

— Papa ?…

— Comme tu n'arrivais pas, je suis venu m'assurer que tout allait bien.

— Mais… oui, évidemment.

Il y avait dans cette situation quelque chose de curieux. Son père n'avait pas coutume de se soucier ainsi de son sort. Surtout pour une broutille. D'un point de vue professionnel, il attendait d'elle qu'elle se montre ferme, sûre d'elle. Il la traitait comme n'importe lequel de ses employés. Voilà pourquoi il n'avait pas jugé utile de la prévenir avant les autres de sa décision concernant le retour de Gerrick.

Son attitude actuelle n'était donc pas normale. Comme elle le fixait toujours, un sourcil levé, il haussa les épaules.

— Entrons quelques secondes dans ton bureau, tu veux bien ?

Sans attendre de réponse, il passa le seuil et prit place dans l'un des fauteuils, tandis que Gina refermait la porte.

— Je crois qu'il est temps de jouer cartes sur table, reprit-il. A propos de Gerrick.

Gina sentit son cœur s'emballer. Elle se rappela soudain les propos de son père, affirmant que personne ne connaissait les circonstances dans lesquelles s'était déroulé le départ de Gerrick. Finalement, Hilton serait-il au courant de leur mariage ? Il avait de nombreuses sources d'information. Quelqu'un avait très bien pu lui parler de son escapade à Las Vegas avec Gerrick. Et de fil en aiguille…

Gina baissa les paupières.

— Je sais ce qui s'est passé entre vous deux. Je voulais feindre l'ignorance, le faire revenir et t'obliger à gérer la situation, mais j'ai changé d'avis.

— Papa, je…

Il tendit la main, pour qu'elle lui permette de poursuivre.

— Sans vouloir te critiquer…

Les jambes flageolantes, Gina s'adossa au mur.

— … tu n'aurais pas dû le congédier.

— *Comment* ?

— Soit. Congédier est peut-être un terme un peu trop… fort. Il n'en reste pas moins que tu lui as demandé de partir.

— Je ne…

Elle n'en dit pas plus long. Cette analyse n'était pas fausse. Pousser Gerrick à partir au plus tôt pour le Maine, était en effet une façon à peine déguisée de lui donner congé.

— Ce n'est pas si simple, répliqua-t-elle néanmoins. Je ne souhaitais pas qu'il laisse passer une occasion apparemment si intéressante. En outre, je savais bien que la bonne marche de l'entreprise serait assurée, entre Josh et Ethan.

— Absolument, admit Hilton en se levant. J'imagine bien que tu n'as pas mis ce garçon au pied du mur. Mais tu n'as pas tenu compte du poids de tes propos. Quand la directrice des Ressources humaines demande à un employé de la boîte de partir, ça ressemble un peu à un licenciement. Non ?

Gina pinça les lèvres.

— Gerrick s'est plaint auprès de toi ?

— Du tout. Il se trouve que je l'ai pressé de me fournir des précisions sur le motif de son brusque départ. J'ai aussi insisté pour qu'il revienne. Il m'a alors expliqué pourquoi cela lui paraissait impossible.

— Comment s'y prend-il ? fulmina Gina.

— Pour… ?

— Pour toujours paraître innocent comme l'agneau !

— Peut-être, tout simplement, parce qu'il *est* innocent. Gerrick ne manque pas de qualités. Je le considère comme quelqu'un de très compétent, très intègre. En un mot, fiable.

Hilton marqua une pause. Les yeux plissés, il se rapprocha de sa fille.

— Mais je ne sais peut-être pas tout des conditions dans lesquelles s'est déroulé son départ…

Gina garda le silence. Il était hors de question qu'elle s'aventure sur ce terrain miné.

— Tu n'as rien à me dire ? Soit. Je continue. Si les gens de l'entreprise lui font payer ce qu'ils considèrent comme une défection de sa part, tu en seras en partie responsable.

Gina en resta bouche bée. Puis elle se ressaisit. Son père ignorait manifestement tout de leur mariage, et de ce fait, son point de vue était logique.

— Il faut donc que tu lui manifestes en toute circonstance ton soutien. Un soutien inconditionnel. Chaque fois que tu entendras des rumeurs négatives à son sujet, tu feras en sorte d'apaiser les esprits. En convoquant s'il le faut les mécontents dans ton bureau, pour vanter les mérites de Gerrick.

Ce qu'attendait d'elle Hilton n'avait rien d'extraordinaire, et elle accepta sans hésiter.

— Je souhaite également que tu déjeunes tous les jours avec lui à la cafétéria. Si les gens vous voient fréquemment ensemble, ils ne pourront pas mettre en doute votre entente parfaite.

— Papa… Je ne déjeune pas tous les jours ! Je… vais grossir, allégua-t-elle.

— Tu as de la marge, avant de devenir obèse !

Elle comprit qu'il ne reviendrait pas sur sa décision. Il pensait qu'elle avait « congédié » Gerrick par inadvertance, et que ce geste malencontreux était à l'origine de la tension qui existait à présent dans leur relation. Si cette version des faits n'était pas exacte, Gina se réjouissait toutefois que son père l'ait adoptée.

— Bien…, marmonna-t-elle.

Ils traversèrent en silence la distance qui les séparait du bureau directorial.

— Nous voici ! déclara Hilton d'un ton jovial.

En entrant dans la grande pièce, Gina balaya du regard l'ameublement désuet, les étagères croulant sous les ouvrages classiques, la baie vitrée à travers laquelle passaient les rayons de soleil de cette fin de matinée. Son regard s'arrêta enfin sur ce qu'il cherchait : Gerrick. Si elle eut conscience que sa propre expression se durcissait, il resta, quant à lui, parfaitement impassible.

Hilton la prit par le bras et la guida vers une table ronde couverte de présents offerts par ses employés, autour de laquelle se tenaient Josh, Ethan et Gerrick. Lorsque son père lui tendit une coupe de champagne, elle eut du mal à réprimer un mouvement de recul.

— Euh… Non, je ne pense pas…

— Allons, insista-t-il en souriant. Il me semble que les événements de la journée méritent bien un toast !

Ne tenant pas à attirer davantage l'attention sur elle, Gina accepta la coupe.

— Bien, dit alors Hilton en levant la sienne, je porte un toast aux beaux jours qui m'attendent, et aussi à vous quatre. J'espère que le fait de diriger cette entreprise vous apportera autant de bonheur et de succès que j'en ai eu moi-même.

— A vous, Hilton ! s'exclamait déjà Ethan, lorsque celui-ci tendit la main pour reprendre la parole.

— Je voudrais ajouter quelque chose. Quelque chose d'important. J'ai travaillé dur, au point d'oublier souvent de vivre. J'espère donc aussi qu'aucun d'entre vous ne prendra exemple sur moi. Et que, lorsque l'heure de partir sonnera, vous partirez.

Tout le monde leva son verre.

— J'ai voulu partir, observa Gerrick en riant. C'est vous qui m'en avez empêché !

— Parce que ton heure n'avait pas sonné, lui répondit simplement Hilton. Passons aux choses sérieuses, maintenant. C'est-à-dire à l'attribution de vos nouveaux postes.

Josh, qui avait dirigé l'entreprise en l'absence de Hilton, occuperait l'ancien poste de Gerrick. Ethan et lui devenaient vice-présidents de Hilton-Cooper-Martin.

Les hommes se félicitèrent mutuellement à grand renfort de toasts et d'accolades. Si Gina participa à l'allégresse générale, elle ne fit que tremper les lèvres dans son verre. Il était hors de question qu'elle boive du champagne avec Gerrick à proximité. Une fois lui avait suffi…

Avant d'expliquer à ses cadres ce qu'il attendait d'eux, Hilton appela la cafétéria pour commander tout un assortiment de sandwichs ainsi que des boissons, et le déjeuner prit une allure de réunion professionnelle.

Alors qu'elle finissait son sandwich au saumon, Gina fut bien forcée d'admettre que Gerrick était, de loin, le mieux placé des quatre pour succéder à son père. Il connaissait parfaitement le fonctionnement de la société, et avait la carrure d'un brillant homme d'affaires. Cela n'impliquait pas, pour autant, qu'elle doive être son épouse.

Pendant les années à venir, il la formerait afin qu'elle soit apte à tout gérer de main de maître. Et il serait préférable, pendant cette longue période, que leur relation ne dépasse pas un cadre professionnel.

— Bien ! lança alors Hilton, un sourire satisfait aux lèvres. Le navire est prêt à larguer les amarres. Il ne me reste plus qu'à redescendre à quai.

Il se leva de son siège et claqua des doigts.

— J'allais oublier… Avant de partir, il faut que je m'entretienne avec les responsables syndicaux.

— Je vais vous…, commença Gerrick, qui s'était levé à son tour.

— Non, c'est inutile, je n'ai pas besoin de toi. Il s'agit en fait d'entretiens à caractère personnel. Ce que je voudrais, en revanche, c'est que tu ailles retrouver Gina dans son bureau et que vous régliez votre différend.

Il baissa les yeux sur sa montre et ajouta, l'œil rieur :

— Quand je partirai, c'est-à-dire dans une heure environ, je veux vous voir vous embrasser !

Si la plaisanterie fit rire Gerrick, Gina, elle, esquissa un vague sourire. Elle observait son père. Décidément, elle le trouvait trop… *sûr de lui*. Trop désinvolte, aussi.

Il était au courant de leur mariage. Elle savait qu'il savait ! Mais pourquoi jouait-il ainsi au chat et à la souris, au lieu d'aborder directement le sujet ?

Après un bref au revoir, le nouveau P.-D.G. et Gina rejoignirent donc le bureau de cette dernière. Ils marchèrent en silence, côte à côte. Au début, Gina fut tentée de faire quelques commentaires polis, puis, comme les secondes défilaient, elle eut l'impression de participer à une compétition, dont le perdant serait celui qui aurait rompu ce silence.

Quand ils passèrent devant sa secrétaire pour entrer dans son bureau, elle se félicita de ne pas avoir soufflé mot. La porte se referma, et, compte tenu de ce que lui avait dit son père un peu plus tôt, elle s'attendit à ce que Gerrick lui exprime son mécontentement. Mais quand elle eut pris place dans son fauteuil, elle s'aperçut qu'il lui souriait. Pas de ce sourire neutre qu'il lui avait adressé en présence de Hilton. D'une façon plus… insistante et personnelle. Très troublante.

Sans s'en apercevoir, elle retint son souffle. La chevelure de Gerrick lui paraissait plus noire et plus luisante que jamais. L'éclat de ses yeux verts, plus intense. Ce costume anthracite mettait en valeur ses larges épaules.

Elle sentit son estomac se nouer. Voilà qui n'augurait rien de bon. D'autant qu'il ne paraissait pas du tout en colère contre elle. Elle n'avait pas eu de nouvelles de lui depuis le bref message dans lequel il affirmait l'aimer, et en dépit de ses efforts pour se convaincre du contraire, elle était obligée d'admettre qu'il lui avait manqué.

— Je suis désolé, Gina.

L'expression de son visage démentait le ton de sa voix, et elle fronça les sourcils. Elle n'aurait pas été surprise qu'il lui manifeste de la froideur. Ou même qu'il la prenne dans ses bras et l'embrasse. Mais ces excuses étaient bien la dernière chose à laquelle elle s'attendait.

— Com… ment ?

— Ton père a mal interprété les explications que je lui ai fournies au sujet de mon départ.

— Tu veux dire que… qu'il est à l'origine de ce scénario concernant un prétendu licenciement ?

— En quelque sorte. Je ne lui aurais jamais révélé que tu m'avais demandé de partir, s'il ne m'avait pas harcelé de questions. Je n'ai pas l'habitude de geindre.

Gina se laissa aller contre le dossier de son fauteuil en cuir noir.

— Dans ce cas… il est inutile de poursuivre cette discussion. Tout rentre dans l'ordre. Il n'y a rien à ajouter.

— Je ne suis pas de cet avis.

Il ne souriait plus, et elle se mordilla les lèvres. De quoi voulait-il lui parler ? Elle lui avait exprimé ses sentiments à l'égard de ce mariage, qu'elle considérait comme une erreur. En ne l'appelant pas, il lui avait signifié qu'il partageait cet avis. A moins qu'il n'ait choisi de ne pas se manifester parce qu'il savait qu'il serait bientôt de retour, et préférait un face à face…

Le téléphone sonna à ce moment et elle s'empressa de décrocher, ravie de cette diversion.

— Excusez-moi de vous déranger, Gina, fit sa secrétaire. J'ai un appel pour M. Green.

— Très bien. Il va le prendre dans mon bureau.

Elle tendit le combiné à Gerrick.

— C'est pour toi. Dès que Marci aura raccroché, tu auras ton interlocuteur en ligne.

Il hocha la tête, amusé.

— Je n'ai été absent de l'entreprise que quelques semaines. Pas assez longtemps pour oublier comment fonctionne le téléphone !

— Oh… Oui, bien sûr.

Pour se donner une contenance, elle rassembla quelques documents épars sur son bureau.

— Gerrick Green à l'appareil… Janice !

Gina se raidit en l'entendant prononcer avec un tel enthousiasme le prénom féminin. Elle constata que Gerrick lui avait tourné le dos et s'était rapproché de la fenêtre. Une manière à peine déguisée de la tenir à l'écart. Comme si elle avait l'habitude de jouer les indiscrètes !

— Je ne m'attendais pas à avoir si tôt de tes nouvelles.

Les lèvres pincées, Gina continua à mettre de l'ordre sur son bureau. Ils étaient toujours mariés, séparés depuis quelques semaines à peine, et il avait déjà une nouvelle petite amie. Parfait. Il lui offrait sur un plateau le motif rêvé pour demander le divorce : l'adultère.

— Je regrette de ne pas avoir pu t'appeler avant mon départ, mais tout est allé si vite…

Gina retint de justesse un petit rire. Ce serait simple comme bonjour !

— Mais je ne t'ai pas oubliée, bien sûr.

De mieux en mieux, décidément.

— J'ai réfléchi, sur le vol de retour, et je pense avoir trouvé quelqu'un qui pourra me remplacer.

A ces mots, Gina haussa un sourcil. Il avait trouvé quelqu'un qui le remplacerait dans le Maine. Maintenant, il proposait un « remplaçant » à sa petite amie. Allait-il aussi lui présenter, à elle, un remplaçant au poste bientôt vacant de mari ?

— Alice Monroe, qui a travaillé avec moi pendant ces quelques semaines aux Epiceries générales, serait parfaite. Elle est chargée des Relations publiques, et donc très bien placée pour recueillir des fonds.

La mine perplexe, Gina se frotta le menton.

— Cet incendie a été dramatique. Chaque fois que je ferme les yeux, je vois l'image de ce gamin en larmes, qui s'agrippe à son ours en peluche. Il faut absolument aider ces gens. Je me réjouis que ta fondation se soit mobilisée, et je suis certain que M. Evans, le grand patron des Epiceries générales, acceptera volontiers qu'Alice représente son enseigne.

Gina sentit ses épaules s'affaisser.

— Bien entendu, je retournerai dans le Maine pour assister à la soirée de bienfaisance.

Gina soupira. Soit… Gerrick Green n'était pas un coureur de jupons. Il ne s'était pas non plus plaint auprès de son père. Mais encore une fois, cela ne signifiait pas qu'elle devait être mariée avec lui.

— Le bien-être des enfants me tient tout particulièrement à cœur.

Bon sang ! Pourquoi fallait-il qu'il se montre aussi charmant ?

— Mmm… Oui, reprit-il. J'ai en effet pas mal de choses à faire ici. En premier lieu, trouver une maison et m'y installer. Je n'ai jamais eu ma propre maison. Plus le temps passe, plus j'en ai envie.

Gina se mordilla les lèvres. Cette déclaration avait des accents de solitude qu'elle reconnaissait, pour l'avoir éprouvée presque quotidiennement l'année où Chad l'avait quittée. Elle l'avait rendu responsable de leur rupture, mais le temps aidant, elle comprenait que son mode de vie portait une part de responsabilité. Elle habitait toujours la demeure familiale, ce qui, à son âge, était tout de même assez curieux.

A l'instar de Gerrick, elle pensait que le fait de posséder un chez-soi serait un remède à la solitude. Mais elle s'était aperçue, plus tard, que cela ne résoudrait qu'une partie du problème. Ce qu'elle désirait, en réalité, ce n'était pas une maison, mais un foyer. *Son* foyer.

Lui aussi. Ils avaient au fond les mêmes attentes, les mêmes aspirations. Voilà qui expliquait qu'ils se soient tous deux envolés sans hésiter pour Las Vegas. Parce qu'ils se sentaient seuls. Parce qu'ils attendaient davantage de la vie que ce qu'ils possédaient. Et aussi, parce qu'il y avait entre eux une attirance très forte.

Ce n'était pas leur mariage qui présentait un problème, mais plutôt le fait qu'ils se soient mariés si vite. Délivrée à présent des soucis occasionnés par la santé de son père, Gina y voyait plus clair.

— Je te prie de m'excuser, dit Gerrick en reposant le combiné.

En guise de réponse, elle haussa les épaules et lui sourit. Elle ignorait quelle était la marche à suivre, à présent, mais elle savait, en tout cas, que ce mariage n'était pas une erreur, comme elle l'avait affirmé. Il s'agissait plutôt d'un événement… prématuré. Oui, c'était bien là le terme qui convenait. Et Gerrick avait sans doute raison de vouloir reprendre la discussion sur leur relation.

— Comme je te le disais donc avant que nous soyons interrompus, nous avons quelques points à éclaircir.

— En effet.

Gina prit sur son bureau un stylo qu'elle fit rouler entre ses doigts. Elle ne se sentait pas encore prête pour le mariage, mais comme son père semblait être au courant de leur union, il leur était difficile, à présent, de se séparer. Le mieux serait sans doute de commencer à sortir ensemble, comme le font tous les couples à leurs débuts.

Ne sachant pas comment le suggérer à cet homme qui était son mari, elle bifurqua sur un autre sujet.

— Tu venais à peine d'arriver qu'on t'a enrôlé pour participer à des œuvres de charité ?

— Tu as sans doute entendu parler de cet incendie qui a surgi en pleine nuit, à Portland, et qui a ravagé trois immeubles. Dans l'un des secteurs les plus défavorisés, bien entendu. Les occupants de ces immeubles sont, pour la plupart, des familles monoparentales qui ont tout juste de quoi survivre. La municipalité s'est mobilisée, mais un coup de pouce supplémentaire ne pourra pas nuire à ces pauvres gens.

— Est-ce que tu avais entrepris une action particulière ?

— Oui. Réunir le maximum de fonds, afin que ces sinistrés soient relogés au plus vite, et dans des conditions décentes. En fait, je m'étais adressé aux personnalités les plus nanties, dans le but de former un groupe d'investisseurs qui participerait à la reconstruction de ces immeubles.

Elle pencha la tête de côté et lui sourit.

— C'est ce qu'on appelle investir à fonds perdus, n'est-ce pas ?

— La vie nous apprend, en certaines occasions, à ignorer la notion de profit.

— Absolument. J'ai toujours eu ce que je désirais, et quelquefois je ne sais pas l'apprécier. Tu peux donc inscrire mon nom sur la liste des donateurs.

Le sourire lumineux qu'il lui adressa l'éblouit presque.

— Si je n'étais pas persuadé que ce soit une source de problèmes, je te serrerais volontiers dans mes bras, Gina !

— Mmm... Voilà une superbe transition pour aborder le sujet qui nous intéresse.

Gina n'était plus la même que celle qu'il avait rejointe à deux reprises, dans cet hôpital de Pennsylvanie. Le temps qui s'était écoulé avait eu sur elle un effet lénifiant, et elle se réjouissait désormais que son père ait incité Gerrick à revenir. Elle se réjouissait tout autant qu'il ait reçu cette communication dans son bureau. Car elle y voyait plus clair, à présent.

— Je sais, dit-il après s'être éclairci la voix. Tu souhaites divorcer.

— A vrai dire... je ne suis pas certaine que ce soit la meilleure des solutions.

Il la fixa, les sourcils rapprochés.

— Je suppose que tu plaisantes, Gina ? C'était une erreur de taille, que nous avons commise à Las Vegas ! Si tu ne veux pas divorcer, j'y tiens, moi !

4.

Les traits tendus, Gerrick poussa la porte de la chambre d'hôtel, y entra et lâcha sa valise sur la moquette grise. Il était à bout de forces, et ses pensées s'emmêlaient.

Accablé, il se laissa tomber sur l'un des fauteuils en cretonne fleurie et lâcha un long soupir. Les cinq dernières minutes passées avec Gina avaient été des plus éprouvantes. Il s'en était cependant tiré. Il avait réussi à ne rien dire qu'il puisse regretter, à ne pas déclarer qu'il ne voulait pas, lui non plus, d'un divorce. Mais au lieu d'être fier de lui, c'était de la rage et de la frustration qu'il ressentait.

Il lui en avait coûté de résister à l'air choqué qu'elle avait affiché en entendant ces mots. Il avait toutefois tenu bon. Ces semaines à Portland s'étaient avérées très positives. Elles lui avaient permis de se remettre de sa déconvenue amoureuse, de se reconstruire, en quelque sorte. Il ne désirait pas rouvrir ces blessures.

Résister à la tentation ne lui avait pas été facile. Ce matin-là, dès qu'elle était entrée dans cette suite destinée à être son nouveau bureau, il avait eu envie de la prendre dans ses bras, de l'embrasser jusqu'à ce qu'elle en perde la raison. Il se rappelait chaque seconde de leur nuit d'amour. Il se rappelait aussi qu'elle n'en gardait, elle, aucun souvenir.

Il préférait ne pas s'attarder sur le sentiment de solitude qui le tenaillait depuis quelque temps. Une solitude qui l'accompagnait depuis longtemps, et à laquelle il s'était d'ailleurs habitué. Il n'avait pris conscience du vide de son existence que lorsqu'il avait commencé à s'intéresser à Gina. A mesure qu'ils se rapprochaient l'un de l'autre, de merveilleuses visions d'avenir s'étaient dessinées en lui. Aujourd'hui encore, il lui suffisait de baisser les paupières pour voir défiler dans son esprit ces images de bonheur.

Quel imbécile ! Envisager le futur avec une personne à laquelle on ne pouvait pas se fier… Ses malheureuses expériences avec ses parents lui avaient appris à se tenir sur ses gardes et à affronter la réalité. Gina Martin ne l'aimait pas. Si dure que cette réalité fût à accepter, il ne devait pas se voiler la face. La jeune femme avait peut-être envie de tenter sa chance avec lui, mais elle n'était pas sûre d'elle, et il ne pouvait pas courir le risque de la perdre une deuxième fois, de souffrir davantage encore.

Pour protéger son équilibre mental autant que son nouveau statut de P.-D.G., il lui avait dit qu'il allait entamer la procédure de divorce dans la semaine. Il en assumerait tous les frais.

C'était à ce moment qu'elle avait eu cette expression de petite fille perdue. A ce moment-là qu'il avait failli revenir sur sa décision. Mais il ne l'avait pas fait. Il s'était dirigé vers la porte et avait rejoint son propre bureau.

Au lieu de dîner avec la femme qu'il aimait, il se retrouvait donc seul dans une chambre d'hôtel impersonnelle. Ce soir encore, il allait appeler la réception et demander qu'on lui apporte un plateau.

Pendant dix ans, la solitude ne l'avait guère gêné. Ce n'était plus le cas. Il n'en accuserait cependant pas Gina, ni lui-même. Il allait faire face à la situation.

*
* *

Le lendemain, il était 11 h 45 lorsque Gina frappa à la porte du bureau de Gerrick. En dépit de la façon dont s'était terminé leur entretien, la veille, elle avait promis à son père de déjeuner en sa compagnie, et elle avait coutume de tenir parole. En outre, si la position de Gerrick l'avait à la fois choquée et peinée, elle admettait qu'il avait raison. Ils ne devaient pas rester ensemble uniquement parce qu'ils s'étaient mariés. Il fallait qu'ils reprennent la vie qu'ils menaient avant ce week-end à Las Vegas. Difficile, cependant, de ne pas juger cette attitude étrange, de la part d'un homme qui lui avait laissé un message dans lequel il affirmait l'aimer, à peine quelques semaines plus tôt.

Pourquoi s'obstinait-elle à y penser, à ce maudit message ? Pourquoi, également, persistait-elle à trouver Gerrick si séduisant, si charmant, si brillant ?

Elle entra après y avoir été invitée.

— Oui ? dit-il, sans chercher à cacher sa surprise.

— Mon père souhaite que je déjeune tous les jours avec toi. D'après lui, cela persuadera tous nos employés que je suis enchantée de ton retour, et que je suis prête à te soutenir dans toutes tes décisions.

— Il n'est pas nécessaire de…

— Inutile de protester, Gerrick. Hilton se doute de quelque chose. Je ne sais ni pourquoi ni comment, mais c'est ainsi. Si je ne tiens pas la promesse que je lui ai faite, il sera furieux. Or, compte tenu de son état de santé, je préfère le ménager.

Gerrick hésita un bref instant, puis hocha la tête.

— Soit. Si tu es prête, je le suis aussi.

— Autant que faire se peut…, murmura-t-elle avec un petit soupir.

Il se leva en éclatant de rire.

— A t'entendre, on croirait que je te conduis à l'échafaud ! Il ne s'agit jamais que d'un déjeuner, Gina.

— Bien sûr. Mais dans la mesure où nous nous sommes dit, hier, tout ce que nous avions à nous dire, cette heure va me paraître interminable.

— Détends-toi. Je viens tout juste de prendre mes nouvelles fonctions de P.-D.G. Le P.-D.G. d'une entreprise et la directrice des Ressources humaines ne manquent pas de sujets de conversation, non ?

Manifestement soulagée, elle hocha la tête. Quelques minutes plus tard, ils s'installaient à une table de la cafétéria. Gerrick lui fit alors part de son projet concernant un remaniement du personnel. Comme elle haussait les sourcils, il lui assura qu'il n'envisageait aucun licenciement, mais souhaitait placer certaines personnes à des postes différents, plus en accord avec leurs compétences.

Ils discutèrent de ce projet pendant la demi-heure qui suivit, et il fut décidé qu'elle le rejoindrait à 16 heures dans son bureau, pour lui remettre des fichiers sur les employés concernés par ces modifications.

— Bien, conclut-il. Je ne vois rien à ajouter. Si ce n'est que j'envisage de changer la décoration de mon bureau, mais cela ne te concerne pas vraiment.

C'était là une façon courtoise de mettre un terme à leur tête-à-tête, et Gina acheva en hâte son dessert avant de fausser compagnie à Gerrick.

Si nul ne les avait dérangés pendant cette pause déjeuner, Gina remarqua, dès qu'elle se fut éloignée, que plusieurs employés avançaient vers Gerrick pour le féliciter de sa promotion. Elle entendit même certains d'entre eux lui exprimer des regrets pour l'avoir mal jugé. Regrets qu'il tourna en dérision afin d'alléger l'atmosphère. Quand elle sortit de la cafétéria, les rires retentissaient autour de la table qu'elle occupait un peu plus tôt.

Ce son résonna à ses oreilles de façon insistante, tandis qu'elle rejoignait son bureau. Il paraissait si détendu, si à l'aise en compagnie des autres employés ! Avec elle, il se montrait agréable et poli. Il lui arrivait aussi de plaisanter, mais de façon différente, plus réservée.

Depuis ce désastreux voyage à Las Vegas, son attitude envers elle avait changé du tout au tout. A croire qu'en l'épousant, elle avait anéanti tous les sentiments amicaux qu'il lui portait.

Alors qu'elle classait des dossiers avec sa secrétaire, Gina comprit que c'était cette réserve à son égard qui la blessait le plus. Ils avaient pourtant été assez liés pour se marier, que diable ! Et ce n'était quand même pas *elle* qui l'avait demandé en mariage. Cette décision, ils l'avaient sans aucun doute prise d'un commun accord. Ce n'était pas elle non plus qui avait laissé ce message où il était question d'amour éternel…

D'ailleurs, ne s'engageait-il pas, par ces mots, à faire en sorte que leur union soit couronnée de succès ? Pourquoi se rétractait-il soudain, déclarant qu'il était préférable de tirer un trait sur ce mariage ? Elle ne s'attendait pas à ce qu'il saute de joie quand elle avait suggéré qu'ils essaient de se donner du temps, mais elle pensait qu'il aurait au moins envisagé de réfléchir à une éventuelle « réconciliation ». Puisqu'il avait prétendu être amoureux, cela paraissait logique.

Mais non… Il lui avait déclaré, de façon claire et concise, qu'il souhaitait mettre un terme à leur relation. *Divorcer.*

Très bien. Pourquoi pas, en effet ? se dit-elle en posant sur son bureau tous les dossiers sélectionnés. Elle n'aurait aucun mal à se remettre d'un divorce survenu après vingt-quatre heures de vie commune !

Ses joues s'enflammèrent tandis qu'affluaient en elle les souvenirs de son réveil dans cette chambre d'hôtel. Puis ceux du petit déjeuner à l'aéroport, ceux aussi du vol de retour. Pendant tout ce temps, Gerrick s'était montré si empressé, si tendre... Elle avait du mal à croire que cet homme-là soit le même que l'actuel P.-D.G. de Hilton-Cooper-Martin.

C'était bien là le problème. Elle avait l'impression de se trouver confrontée à deux personnages. L'un qui l'aimait, l'autre pas. Et elle aurait souhaité ardemment voir réapparaître que celui qui l'aimait.

L'heure de son rendez-vous avec l'objet de ses tourments arriva sans qu'elle s'en aperçoive. Même si elle n'avait pas fini de rédiger le rapport qu'elle voulait remettre à Gerrick, elle rangea les documents et ses notes dans un classeur, puis se dirigea vers le bureau de celui-ci. Comme sa secrétaire n'était pas à son poste et que la porte était ouverte, elle y entra... et s'arrêta net. Gerrick était assis à la petite table de réunion, dans un coin de la pièce, avec Lawana Johnson, l'attachée commerciale de l'entreprise. Gina ne se rappelait pas avoir vu un tel regard rêveur à Lawana. Ni un tel sourire sensuel.

Inutile de chercher bien loin le motif de ces minauderies. Un motif des plus attirants, en chemise blanche au col déboutonné, les yeux cernés mais plus clairs que jamais, le cheveu en bataille. Concentré sur les colonnes que lui présentait Lawana, Gerrick n'avait apparemment pas conscience d'être irrésistible.

Les lèvres de Gina s'étirèrent en un sourire. Dire qu'elle était mariée à ce magnifique spécimen masculin...

Penché en avant, il expliquait quelque chose à son interlocutrice. Il parlait lentement, patiemment. Le sourire de Gina s'élargit. C'était cet homme-là qu'elle connaissait et appréciait.

Elle en était là de ses pensées quand il se tourna vers la porte.

— Oh… Gina ! Je ne t'ai pas entendue arriver. Qu'y a-t-il ?

— Nous avions rendez-vous à 16 heures.

Il fronça le nez.

— Tu as raison. Je suis désolé, mais j'ai eu un emploi du temps si chargé que je n'ai pas vu l'heure passer. Et je dois recevoir deux autres personnes encore, après Lawana.

— Pour être franche, ça m'arrange, vu que je n'ai pas fini de rédiger le rapport que je dois te remettre.

— Est-ce que ça te conviendrait, que nous nous retrouvions à 18 heures ?

— Ça ne t'ennuie pas de travailler si tard ?

Il secoua la tête en riant.

— Tu sais bien que les P.-D.G. n'ont pas d'heure, mon ange !

Mon ange… Si les deux petits mots la remplirent de joie, elle se contenta de sourire à Gerrick avant de s'apprêter à tourner les talons.

— Parfait. A plus tard.

— Attends, Gina… Au lieu de rester dans mon bureau pour travailler, pourquoi ne pas dîner dehors ?

Gina cligna des paupières. D'abord « mon ange», et maintenant, une invitation à dîner déguisée ?

La situation n'était peut-être pas aussi désespérée qu'elle le croyait, dix minutes plus tôt…

Après le départ de Lawana — qui ne paraissait pas du tout pressée de quitter les lieux —, Gerrick reçut Josh. Quand ce dernier frappa à sa porte, Gerrick commençait à s'interroger sur le bien-fondé de la proposition qu'il avait faite à Gina.

— Ça va ? lui demanda Josh au bout de quelques minutes. Tu as l'air absent. On peut très bien reporter cet entretien à demain.

— Non, non. Ça va très bien.

Comme l'avait prévu Hilton, une fois que certains points concernant le départ de Gerrick avaient été éclaircis, Ethan autant que Josh, ainsi que la plupart des employés, s'étaient réjouis qu'il le choisisse comme successeur. Les deux nouveaux vice-présidents avaient été prompts à rétablir avec lui les liens de confiance et d'amitié qui les unissaient avant ce fameux départ.

— Il est 17 heures passées, Gerrick. Tu devrais rentrer te reposer. La première journée est toujours la plus dure. N'abuse pas de tes forces.

— Trop tard. J'ai encore deux rendez-vous prévus dans la soirée.

— J'espère que tu vas au moins passer commande pour qu'on te livre un repas.

— En quelque sorte. J'ai proposé à Gina que notre entretien se déroule au restaurant.

Tout sourires, Josh croisa les bras.

— Très bonne idée !

Non, ce n'était pas une bonne idée, songea Gerrick. Elle était même très mauvaise. Il suffisait de voir le sourire de Josh pour s'en convaincre. A ses yeux, ce repas d'affaires avait valeur de dîner en tête à tête.

— A qui t'adresses-tu, d'habitude, quand tu veux être livré ? demanda-t-il à Josh d'un ton très naturel.

Celui-ci haussa un sourcil.

— Ta première idée était meilleure. Tu devais quitter les locaux de l'entreprise.

— Je suis pourtant convaincu qu'on en finira plus vite si on reste ici. Ensuite, je retournerai à mon hôtel et je me reposerai.

J'avoue que je suis fatigué. Essayer de tout reprendre en main en l'espace de quelques heures… Il me tarde de me coucher.

— Mmm…

Josh hésita et lâcha un petit soupir avant d'ajouter :

— Bon, si tu y tiens… sache que c'est Olivia qui m'apporte à dîner quand je dois travailler en soirée.

— N'en parlons plus. Je vais prendre l'annuaire et chercher un restaurant à proximité qui dispose d'un service de livraison.

— Mais non, mon vieux ! Olivia adore s'occuper de ce genre de choses. Surtout en ce moment. Nous avions retardé la date de notre mariage pour rattraper le temps qu'elle a passé auprès de Gina, à l'hôpital, mais elle a mis les bouchées doubles à son retour, et elle est maintenant en avance sur son timing. Donc elle s'ennuie, elle tourne en rond, et elle sera enchantée de se rendre utile !

Le ton exaspéré sur lequel Josh avait terminé sa tirade provoqua le rire de Gerrick. Il accepta de bon gré sa proposition, et le reste de l'entretien se déroula à merveille. Il en fut de même de son rendez-vous suivant, avec Nadine Bolivar, l'actuelle directrice des Relations publiques.

Celle-ci partit quelques minutes avant 18 heures, ce qui laissait à Gerrick le temps de se détendre un peu avant l'arrivée de Gina. Il n'avait pas menti à Josh en déclarant être épuisé. Il avait travaillé à un rythme effréné depuis que Hilton l'avait officiellement nommé P.-D.G.

Il songea à remettre sa veste pour recevoir la jeune femme, ce qui conférerait plus de sérieux à ce rendez-vous tardif, mais y renonça. Ce dont il rêvait, en fait, c'était de se débarrasser de ses chaussures et de ses chaussettes, et de s'allonger sur le sofa en velours vert qui avait connu des jours meilleurs.

Il riait, imaginant le tableau, quand Gina entra dans le bureau. Elle avait mis la veste de son tailleur vert anis, et tenait son sac à la main — ce qui signifiait qu'elle était prête à sortir. Le rire de Gerrick mourut sur ses lèvres. Non parce qu'il avait oublié d'informer la jeune femme du changement de programme, mais parce qu'elle était belle à couper le souffle. Même dans ces tenues plutôt sages qu'elle portait au bureau, elle réussissait à être follement attrayante.

Bien sûr, le fait de savoir ce qui se cachait sous ces vêtements n'était pas étranger à sa réaction, Gerrick le savait. Chaque fois qu'il la voyait, les souvenirs de leur nuit d'amour affluaient à son esprit. Il savait aussi que s'il continuait à penser à leur escapade à Las Vegas, il perdrait la raison.

— Je suis désolé..., commença-t-il, s'efforçant de ne rien laisser transparaître de la passion qu'elle suscitait toujours en lui. J'ai oublié de t'appeler. Josh m'a dit qu'Olivia pouvait commander à dîner pour nous, et même nous livrer. Ce qui nous permettra de travailler ici. Elle devrait arriver dans quelques minutes, ce qui te laisse le temps de rapporter ta veste et ton sac dans ton bureau, si tu en as envie.

La lueur qui illuminait le regard de Gina se ternit, mais elle hocha la tête.

— D'accord. J'y vais.

Lorsqu'elle fut partie, Gerrick se passa en soupirant la main sur le visage. Il fallait qu'il cesse d'avoir de tels flash-backs, de les imaginer dans les bras l'un de l'autre... En tout cas, il avait eu raison d'opter pour cette version de dîner. Gina avait de toute évidence « mal » interprété sa première proposition. Elle avait cru qu'il était prêt à se radoucir. Si elle avait pu deviner ce qu'il endurait, pour ne pas dévier de la ligne qu'il s'était tracée !

La porte était restée entrouverte, et Olivia frappa un petit coup avant de la pousser pour entrer.

— Bonsoir, Gerrick. Josh m'a dit que vous restiez travailler tard ce soir, Gina et toi.

Elle avança vers la table basse située face au canapé, et y posa un sac qui contenait des sandwichs, un Thermos de thé, et deux petits saladiers en plastique transparent.

— Merci infiniment, Olivia.

Il prit la note jointe à la livraison et régla aussitôt la jeune femme.

— Oh, avec Josh, j'ai pris l'habitude de pratiquer ce genre d'activité. Dans la mesure où la cafétéria ferme à 15 heures.

— Ça m'arrangeait bien, ce soir. Encore merci.

— Je t'en prie.

Elle lui rendit son sourire, sans pour autant faire mine de partir.

— Tu… avais quelque chose à me dire ?

— Non.

— Bien. Dans ce cas…

A ce moment-là Gina passa le seuil, et Olivia avança vers elle pour l'embrasser.

— Bonsoir, Gina. Tu vas bien ? Je vous ai apporté à dîner. Il paraît que vous allez travailler tard…

— C'est très gentil à toi de nous avoir rendu service, mais si tu continues longtemps encore à bavarder, nous risquons de sortir vraiment *très tard* ! lança Gerrick avec une grimace comique.

La jeune femme éclata de rire.

— Mon Dieu, je suis incorrigible ! Allez, je vous laisse. D'autant plus que Josh m'attend.

Elle s'éloigna sur un salut de la main, et Gerrick attendit que le bruit de son pas décroisse dans le couloir pour se tourner vers Gina.

— Je suis désolé.

Comme elle haussait un sourcil interrogateur, il précisa :

— De ne pas t'offrir un repas décent, de t'imposer un rendez-vous tardif…

— Comme tu le disais toi-même, déclara-t-elle en s'asseyant sur le canapé, les P.-D.G. n'ont pas d'horaires. Les cadres supérieurs non plus. Il est rarissime que je quitte le bureau à 17 heures.

Soulagé que Gina se soit adaptée sans problème à cette modification de dernière minute, Gerrick la rejoignit sur le canapé. Elle paraissait à l'aise, ce qui eut sur lui un effet apaisant. C'était même la première fois, depuis son retour à Atlanta, qu'il se sentait aussi serein.

— Je veux bien le croire, répliqua-t-il avec un sourire.

Elle ouvrit le sac contenant les sandwichs, et lui tendit le premier.

— Comme mon père considérait qu'il pouvait discuter affaires avec moi à la maison, c'était toujours sa fille qu'il notait en dernier sur son agenda. Il arrivait même que ces entretiens se déroulent en voiture, quand nous rentrions ensemble le soir.

Il rit, tendant la main pour leur servir le thé qu'Olivia avait apporté. Dans ce geste, ses doigts frôlèrent le bras de Gina et il se figea. Il avait réussi à s'habituer à sa présence — au point de s'asseoir spontanément à côté d'elle. Mais le contact physique était tout autre chose.

Il remplit les gobelets et mordit dans son sandwich, prêt à sauter sur la moindre occasion pour donner plus de poids à sa décision au sujet de leur divorce.

— Mmm..., fit-il avec une grimace. C'est un sandwich poulet-mayonnaise. Je n'ai pas vraiment de passion pour le poulet-mayonnaise.

— Ah ? s'étonna-t-elle. Il me semble pourtant t'avoir vu en manger à plusieurs reprises, quand nous avons déjeuné ensemble.

— Tu dois te tromper. Voilà qui prouve bien que nous ne nous connaissons pas.

— Je ne suis pas d'accord avec toi.

Elle lui avait répondu avec une assurance qui le décontenança.

— C'est *toi* qui dis une chose pareille ? Toi qui affirmais, il n'y a pas si longtemps, me connaître à peine ?

— Je t'ai dit ça à l'hôpital. Reconnais que les circonstances étaient assez particulières… Vois-tu, j'ai analysé notre relation à deux reprises. La première, quand je me suis réveillée ce matin-là, à Las Vegas. La deuxième, hier. Et chaque fois, j'en suis arrivée à la même conclusion : en travaillant ensemble, en déjeunant de temps en temps ensemble, en bavardant après les réunions, nous avons appris à nous connaître.

Gerrick manqua lâcher un petit rire amer. Il avait voulu se rapprocher d'elle pour la consoler de son chagrin d'amour, et s'était épris d'elle.

— Peut-être, marmonna-t-il.

Il se tut, but une gorgée de thé, et se mit à manger son sandwich, oubliant qu'il avait prétendu un peu plus tôt ne pas aimer le poulet-mayonnaise. Tous ses sens étaient en alerte. S'il ne se contrôlait pas, il allait se rapprocher de Gina, la prendre dans ses bras…

— J'ai fini de rédiger le rapport que tu m'as demandé sur certains membres du personnel. Puisque nous ne parlons pas, tu pourrais le parcourir pendant que nous mangeons.

Gerrick se sentit coupable de rester plongé dans le mutisme. Mais il craignait, s'il parlait avec la jeune femme, de s'écarter de cette ligne de conduite qu'il s'était lui-même imposée. Il prit donc le rapport qu'elle lui tendait et la remercia. S'il le lisait rapidement, il pourrait mettre fin à leur entretien plus tôt que prévu.

Cinq minutes plus tard, il posait les documents à côté de lui et émettait un petit sifflement admiratif.

— Tu es brillante.

— Pas vraiment. Je connais bien le personnel de Hilton-Cooper-Martin. Ça fait partie de mes fonctions.

— Fonctions dont tu t'acquittes à merveille. Le rapport que tu m'as remis est si complet que nous pouvons en rester là.

— En... rester là ? répéta-t-elle, interloquée.

— Absolument. Ces feuilles contiennent les réponses à toutes les questions que je souhaitais te poser. Je vais examiner ces dossiers à tête reposée, et te faire parvenir mes instructions.

— D'accord.

Manifestement satisfaite des remarques de Gerrick, elle s'adossa au canapé et se tourna vers lui, tant et si bien qu'ils se retrouvèrent face à face.

Gerrick eut du mal à avaler sa bouchée. Il ne connaissait personne qui ait des yeux de cette couleur. Améthyste. Il ne connaissait personne non plus qui ait ce sourire, ce charme, ce brio intellectuel. Personne avec qui il avait un tel désir de partager sa vie. Avant Gina, aucune femme au monde n'avait fait naître en lui des idées de mariage.

Comme s'ils étaient guidés par une force invisible, ils se rapprochèrent l'un de l'autre. Gerrick sentait qu'il allait l'embrasser. Il en avait une envie folle. Pas seulement de l'embrasser mais de la serrer contre lui, la caresser, lui faire l'amour...

Leurs lèvres se frôlaient presque lorsqu'il se leva, comme mû par un ressort.

— Je... ne pense pas que ce soit une bonne idée, dit-il d'une voix tendue.

— Pourquoi ?

— Parce que nous avons déjà décidé de divorcer.

— *Tu* as décidé, nuance.

Gerrick vint se placer en face d'elle.

— *Tu* m'as demandé de partir une semaine à peine après notre mariage. *Tu* m'as dit que tu ne gardais pas le moindre souvenir de ce mariage. *Tu* as déclaré que ce mariage était une erreur.

— Je sais. J'avais tort.

Il la fixa, éberlué.

— Comment ?

Il avait l'impression que le sang s'était figé dans ses veines. Tout comme à Las Vegas quand elle l'avait demandé en mariage, ce qu'il souhaitait le plus au monde lui paraissait à portée de main. Mais cela n'avait été qu'un mirage, et il ne tenait pas à se fourvoyer de nouveau.

— Ne promets pas monts et merveilles, Gina. Ne tente pas le diable.

— Je ne fais que répéter ce que je t'expliquais hier. Si nous retournions à la case départ, si nous prenions le temps de construire notre relation, je suis certaine que ce mariage serait viable.

En l'écoutant, Gerrick se sentait faiblir. Il voyait la maison, les enfants… Mais ce projet lui tenait trop à cœur pour qu'il l'envisage avec une personne qu'il ne jugeait pas fiable. Car c'était là le véritable obstacle : il n'avait pas confiance en Gina. Elle ne se rappelait pas leur mariage, regrettait de l'avoir épousé le matin venu, semblait se faire à l'idée sur le vol de retour, puis considérait cette affaire comme une erreur une semaine plus tard. Elle n'avait pas cherché à le joindre une seule fois lorsqu'il était dans le Maine. Et voilà qu'à son retour, elle lui laissait entendre que tout était encore possible entre eux.

Dans ces conditions, comment lui faire confiance ?

Il retourna à son bureau, la regarda droit dans les yeux et déclara :

— Je ne reviendrai pas sur ma décision, Gina.

5.

Lorsqu'elle arriva chez elle, Gina y trouva son père, qui l'y attendait.

— Tu rentres bien tard, ma chérie, observa-t-il après l'avoir embrassée.

— Gerrick veut procéder à un remaniement du personnel. Il a fallu que je prépare un rapport.

— Ça t'a pris tout ce temps ? insista Hilton.

Il attendit qu'elle ait posé son sac et son attaché-case sur le guéridon de l'entrée pour la guider vers le grand salon blanc, ce qu'il faisait toujours quand il souhaitait lui parler.

Epuisée après une longue journée de travail et frustrée par l'attitude de Gerrick, Gina ne se sentait pas d'humeur à bavarder. Mais elle avait failli perdre son père, elle savait qu'il n'était pas complètement tiré d'affaire, et n'envisageait donc pas de le priver de ce tête-à-tête.

— Non. J'ai rédigé le rapport, il l'a lu pendant que nous pique-niquions dans son bureau, et il m'a dit que j'étais brillante.

— Ce qui est vrai.

— Tu es mon père. Je t'imagine mal déclarer le contraire !

— Détrompe-toi, je suis très lucide en ce qui te concerne. Je t'ai vue à l'œuvre, et je trouve que tu as un don inné avec les gens.

Il avança vers le bar.

— Je te sers quelque chose ? lui demanda-t-il, un verre à la main.

Gina, qui n'avait toujours pas résolu les problèmes dus à un excès d'alcool, s'empressa de secouer la tête. Hilton était trop sagace pour ne pas percevoir le malaise qui l'habitait. Il reposa le verre et dévisagea sa fille.

— Tu me sembles perturbée, en ce moment, Gina.

— Non, non…

— Tu en es sûre ?

— Oui. En fait… non.

Elle venait soudain de comprendre quelque chose de si évident qu'elle s'étonnait de ne pas l'avoir saisi plus tôt. Nul ne connaissait Gerrick mieux que son père. Nul ne serait, mieux que lui, apte à lui venir en aide.

Mais elle se garderait de lui révéler toute la vérité. Tant pour ménager Hilton que pour les ménager, Gerrick et elle. Elle prendrait des chemins détournés.

— Tu as raison, papa. J'ai quelques problèmes.

Accoudé au bar, Hilton darda sur sa fille son regard pénétrant.

— Je t'écoute.

— A cause de Gerrick. Tu ne remettras pas en cause ses compétences si je te fais part de mes soucis ?

— Du tout. Je sais très bien ce qu'il vaut puisque nous avons travaillé ensemble pendant douze ans, et je suis sûr de ne pas m'être trompé en le choisissant comme successeur. Il est bien possible que vous ayez parfois quelques frictions, tous les deux, et je ne vous en apprécierai pas moins pour autant. Alors ?

Des *frictions* ? Elle allait exploiter ce terme.

— Eh bien… ce qui m'étonne le plus chez lui, c'est cette faculté qu'il a de changer d'avis. Il va dire « noir » à un moment, et avec tout autant de conviction, affirmer « blanc » un peu plus tard.

Manifestement peu impressionné, Hilton s'inclina et ouvrit le petit réfrigérateur du bar, duquel il sortit une bière sans alcool.

— Le portrait que tu me brosses ne correspond pas du tout à l'homme que je connais.

— Venant de lui, ce comportement ne m'a pas paru normal, à moi non plus. Mais il se trouve que notre désaccord était basé sur une broutille.

Gina déglutit avec peine. Qualifier de « broutille » leur mariage… Grâce au ciel, son père ignorait la nature de la prétendue broutille !

— Mais encore ? insista Hilton.

— Disons que… il a changé d'avis du tout au tout, en peu de temps. Je pense plutôt qu'il *croit* avoir changé d'avis, mais que c'est faux.

Son verre de bière à la main, Hilton s'assit à côté de sa fille.

— Il a sans doute ses raisons. Gerrick n'agit jamais sans raison. Et quand il s'est tracé une voie, on a beaucoup de mal à l'en détourner. Il a la discipline d'un moine tibétain.

Gina haussa un sourcil. Cette description de l'homme qui était toujours son époux ne lui plaisait guère.

— Par exemple, poursuivit Hilton, si Gerrick a décidé de perdre du poids, il ne fléchira pas, même si tu places devant lui son dessert favori.

— Formidable…, murmura Gina avec un soupir.

La description de son père anéantissait tout ses espoirs.

— J'ai cru comprendre que votre différend était basé sur une « broutille »…

— Mmm… Oui, bien sûr. Une divergence d'opinion, rien de plus.

— Qui a cependant son importance.
— Pour moi, oui.
— Et tu voudrais savoir comment tu dois t'y prendre avec lui pour arriver à tes fins ?
Gina grimaça.
— A t'entendre, j'ai vraiment l'impression d'être une enfant gâtée !
— Du tout, ma fille. Il t'est certainement arrivé de te comporter en enfant gâtée, mais il y a bien longtemps. Tu es aujourd'hui une adulte consciente de ses responsabilités, et je me doute bien que si tu tiens à faire changer d'avis Gerrick, c'est pour une excellente raison.
— Merci.
— Je t'en prie.
Hilton but une longue gorgée de bière et attendit. Comme Gina restait toujours plongée dans le mutisme, il soupira.
— Bien. Quel est le motif de cette divergence qui te préoccupe tant ?
— Aucun…
Elle ne pouvait pas donner davantage de détails à son père. En outre, il était censé lui fournir des renseignements sur Gerrick, pas s'impliquer dans le fonctionnement de l'entreprise — ce qui, croyait-il, était le sujet de leur discorde.
— Tu t'es retiré des affaires, reprit-elle. Je regrette de t'avoir parlé de ce petit problème. Explique-moi seulement, de façon générale, comment réussir à mener Gerrick sur une voie différente de celle qu'il s'est tracée, pour reprendre ton image.
Hilton se frotta le menton.
— Très simple. Il faut t'arranger pour qu'il pense être à l'origine de cette décision. C'est-à-dire l'assaillir d'informations, de sorte que la réponse lui apparaisse de façon évidente, avant que tu n'aies à la formuler.

Ces mots laissèrent Gina perplexe. *L'assaillir d'informations ?* Que pourrait-elle bien lui apprendre d'elle, qu'il ne sache déjà ?

— Tu as l'air décontenancée, reprit son père. Je vais donc être plus précis. Lance-toi dans une opération de séduction.

Gina frémit. Elle se demanda une fois de plus si son père était au courant de leur union. Ses propos ambigus étaient des plus troublants.

— Une phrase par-ci, une phrase par-là, enchaîna Hilton, pour faire miroiter tous les avantages de ton idée. Un peu comme une femme qui laisse derrière elle un sillon de parfum.

Elle se passa la langue sur les lèvres et acquiesça, tandis qu'il poursuivait.

— Gerrick n'est qu'un homme, après tout. Et si tu es destinée à travailler dans un milieu masculin, il y a trois choses que tu dois savoir : d'abord, que nous aimons avoir raison ; ensuite, que nous ne supportons pas qu'on nous dicte la conduite à adopter ; et pour finir, que nous ne supportons pas les gens faibles.

— Je ne saisis pas bien la pertinence de ce troisième point, dit-elle, un sourcil levé.

— Pour négocier, place-toi toujours dans une position de force. Ne joue pas les petites souris timides, si tu veux que Gerrick se range à ton avis. Développe tes idées avec brio, prouve-lui que ce sont les meilleures, comporte-toi comme une battante, pas comme une battue. En d'autre termes, sois un fin stratège ! Les stratèges sont hardis, audacieux.

Il l'embrassa sur le front avant de conclure :

— Si tu envisages de rester dans l'équipe de Gerrick, il faudra faire preuve d'audace, ma belle !

*
* *

Il n'était pas encore 7 heures lorsque Gina se glissa dans son bureau, le lendemain matin. Après avoir longuement réfléchi aux conseils de son père, elle en conclut qu'il avait raison. Elle connaissait Gerrick depuis douze ans, mais ne s'était jamais montrée *hardie et audacieuse*.

Sauf à Las Vegas.

Elle décrocha son téléphone et composa le numéro du bureau de Gerrick. Son répondeur automatique se déclencha.

— Bonjour, Gerrick. Gina à l'appareil. Je souhaiterais que tu m'accordes quelques minutes dans la matinée.

Elle marqua une pause. Exprès.

— Si tu es très occupé, ne t'inquiète pas, ça ne me dérange pas de te retrouver dans ton bureau en fin de journée.

Elle raccrocha, un sourire satisfait aux lèvres. Elle était sûre qu'il se libérerait avant 10 heures, prêt à tout pour éviter que ne se reproduise la scène de la veille au soir.

Or, c'était ce qu'elle voulait. Qu'il la voie dès le matin dans cette robe en jersey rouge cerise qui flattait ses formes — cette image l'accompagnerait tout au long de la journée !—, et qu'il croie qu'elle se moquait bien de le rencontrer le matin plutôt que le soir.

Cette manœuvre n'était-elle pas digne d'un fin stratège ? Assez fière d'elle, elle lâcha un petit rire et brancha son ordinateur.

Barbara, la secrétaire de Gerrick, arrivait à 8 heures. Il était 8 h 05 lorsque le téléphone sonna sur le bureau de Gina.

— Bonjour, Barbara ! lança-t-elle.

Cette dernière parut stupéfaite.

— Mais… comment avez-vous deviné que c'est moi qui vous appelais ?

— Une intuition. Non, je plaisante. J'ai laissé tout à l'heure un message à Gerrick en lui disant que je souhaitais avoir un entretien avec lui, et j'ai pensé qu'il vous demanderait de me rappeler.

— Il peut vous recevoir à 10 heures.

— Parfait. A tout à l'heure, Barbara.

Elle passa le début de la matinée à compléter des dossiers. Quelques minutes avant 10 heures, elle se parfuma de nouveau, fit une retouche de rouge à lèvres et, chargée des dossiers, se dirigea vers le bureau de Gerrick.

— Bonjour, lui dit-elle, l'air affairé. J'ai réfléchi hier soir à ton projet de remaniement du personnel. J'ai examiné les dossiers, et j'ai bien peur que certains de tes choix ne soient pas très judicieux.

Gerrick la fixait sans mot dire. Etait-ce à cause de la robe, du nuage de parfum qui l'enveloppait, ou plutôt de la pile de dossiers qu'elle venait de déposer sur son bureau ? A l'expression de son visage, elle était prête à parier sur la robe.

— Qu'y a-t-il ? reprit-elle, feignant de mal interpréter son silence prolongé. Oh, je vois ! Tu as peur que mes suggestions ne te conviennent pas.

— Non…

Il s'éclaircit la voix.

— Du tout. Je suis prêt à t'écouter. Tu sais bien que je ne suis pas le genre de type à vouloir toujours avoir raison.

Elle lui sourit. Gentiment. Presque tendrement.

— Très bien. Voici donc les gens dont tu devrais réexaminer le cas.

Il baissa les yeux sur les dossiers, puis les releva sur Gina.

— Tu as rédigé un rapport ?

— Non. J'ai pensé qu'il serait préférable d'en discuter d'abord de vive voix.

— Le rapport que tu m'as remis hier soir était si complet…

Si complet qu'il l'avait congédiée presque sur-le-champ ! Il n'y aurait donc pas d'autre rapport. Elle allait lui imposer sa présence.

— Avant de résumer les dossiers de trente personnes…

— Trente personnes ? Tu voudrais que je lise trente dossiers maintenant ?

— En diagonale…

— Prépare un résumé pour demain… disons… 14 heures, dit-il après avoir consulté son agenda.

— Je persiste à penser que nous devrions procéder à un premier tri ce matin.

— Impossible. J'ai un rendez-vous dans dix minutes.

Il se leva.

— A demain.

Raté !

Ce soir-là, Hilton ne l'attendait pas dans le hall lorsqu'elle arriva, et Gina monta en hâte dans sa chambre où elle se démaquilla et échangea sa robe cerise contre un tailleur beaucoup moins affriolant. Puis elle redescendit et, munie de son attaché-case, entra dans le bureau de son père, où elle le trouva en train de lire un manuel sur les plantes vivaces.

— Bonsoir, papa.

— Bonsoir, ma chérie. Alors, comment ça s'est passé ?

Elle répondit à sa question par un regard interrogateur qui ne reflétait qu'innocence.

— Tu sais bien, reprit-il. Ce petit différend avec Gerrick…

— Ah… *Ça* ?

Elle s'assit en face de lui.

— Eh bien… Nous n'avons pas vraiment avancé. Il veut que je lui remette un autre rapport.

— Je vois, murmura Hilton en hochant la tête avec lenteur. Difficile de lui faire croire que cette idée est la sienne si tu l'écris, au lieu d'en discuter avec lui.

— J'en suis consciente, figure-toi.

— Alors, quelle est la prochaine étape que tu t'es fixée ?

— Je ne sais pas trop, admit-elle en fronçant le nez. Ces affaires de stratégie ne me sont pas très familières.

Hilton referma son livre de jardinage et enleva ses petites lunettes de lecture.

— J'en suis responsable. Jusqu'ici, je t'ai fait entièrement confiance, te laissant gérer seule ton service et approuvant toutes tes décisions. Cela pour une raison très simple, d'ailleurs : parce que les idées que tu me soumettais me convenaient à merveille. Mais du coup, tu ne sais pas te battre pour les défendre !

Elle revit à la mémoire le reflet plaisant que lui renvoyait son miroir ce matin-là, avant de partir au bureau, et répliqua :

— Je croyais justement qu'il ne fallait pas se battre mais jouer les « fins stratèges », pour reprendre ton expression.

— Ce qu'il faut, Gina, c'est que Gerrick soit convaincu que ton idée est *la sienne*. Il ne doit surtout pas penser que tu l'as incité à changer d'avis.

— A aucun moment, dans ce schéma, il n'est question de « se battre »...

— Vois-tu, ma fille, se battre consiste en fait à ne pas quitter le terrain. Oublie que tu as essuyé un ou plusieurs refus, et sois prête à sortir de nouveau tes arguments à la première occasion.

Il hésita et ajouta, plus bas, avec des airs de conspirateur :

— Je vais même te révéler l'une de mes meilleures tactiques. Mais promets-moi de n'en souffler mot à personne !

— Promis juré !

— Pour pousser un adversaire à changer d'avis, il suffit parfois de juger négatifs certains aspects du projet que tu as en tête. De telle sorte qu'il en arrive lui-même à les juger positifs.

Gina croisa les bras et fixa son père, les yeux écarquillés.

— Je doute d'avoir bien saisi toute la finesse de cette théorie, et je doute plus encore qu'elle fonctionne !

— Voyons… Je vais chercher un exemple précis. Supposons que tu veuilles avoir Gerrick pour cavalier au mariage de Josh et d'Olivia.

— Comment ?…

— Je sais, j'ai choisi un exemple personnel, mais le principe est le même. Tu lui proposes donc d'être ton cavalier, et il refuse. Le lendemain, tu lui dis : « Tu as raison, Gerrick. Ça n'aurait pas été une bonne idée d'aller ensemble à ce mariage. D'abord, parce que les gens penseraient qu'il y a quelque chose entre nous. Ce qui, déjà en soi, serait catastrophique, non ? Comme s'il était possible que tu aies envie d'une relation amoureuse avec moi ! »

Gina pinça les lèvres. C'était l'exemple choisi par son père qu'elle jugeait *catastrophique* !

— Il faudrait qu'il soit le dernier des goujats pour te suivre sur ce terrain, reconnais-le, poursuivit Hilton sans prêter attention à la réaction de sa fille. Il chercherait plutôt à te détromper avec des phrases du genre : « Oh, quand même… ». Et tu rétorquerais : « Allons, une relation pareille entre nous ne serait qu'une source de problèmes ! »

— Mmm…

— Tu vois mieux où je veux en venir ?

— Plus ou moins…

Une fois de plus, elle était frappée par l'ambiguïté des propos de son père. Il venait en tout cas de lui donner une idée de génie !

Comme la robe rouge n'avait pas eu sur Gerrick l'effet escompté, Gina opta le lendemain pour une tenue tout aussi seyante mais moins « audacieuse » : un tailleur lilas, à la fois féminin et sage, un ton plus clair que la couleur de ses yeux. Ce fut donc ainsi vêtue, moins maquillée et parfumée que la veille, qu'elle entra dans le bureau du P.-D.G. à 14 heures précises.

— Voici le rapport que tu m'as demandé, dit-elle avec un sourire, tout en lui tendant une chemise cartonnée.

Il leva sur elle un regard prudent, presque méfiant, et, manifestement rassuré par la vision séduisante mais assez chaste qu'elle lui offrait, lui sourit à son tour.

— Merci, Gina.

— Je persiste à penser que nous devrions discuter de ces employés.

— D'accord. Assieds-toi pendant que je lis ces documents.

Elle ne s'était donc pas trompée. Il ne supportait pas qu'elle lui rappelle, d'une façon ou d'une autre, leur nuit de noces. Ce qui signifiait que les moments qu'ils avaient partagés étaient intenses, et méritaient qu'elle se batte pour les faire renaître.

Après avoir pris place en face de Gerrick, elle regarda autour d'elle.

— Le réaménagement de ton bureau ne fait apparemment pas partie de tes priorités.

Il quitta son rapport des yeux.

— En effet.

— Je pourrais t'aider, si ça t'arrange.

— Mmm... Merci, ça ira, marmonna-t-il en se replongeant dans sa lecture.

— Ça ne m'ennuierait pas du tout.

— Il n'y a rien d'urgent. Ça peut très bien attendre quelques semaines.

— Bien sûr. Mais je me disais que… Oh, je comprends ! Excuse-moi. Je ne t'en reparlerai plus. J'aurais dû y penser…

A ces mots, Gerrick redressa de nouveau la tête.

— Penser à quoi ?

— Il est évident que ce n'est pas *moi* que tu choisirais pour te prêter main-forte. Tu imagines les commérages que ça susciterait ?

— Je me moque éperdument des commérages, déclara-t-il en reprenant la lecture du rapport.

— Ah ? Ça me surprend. Je croyais que tu refusais que nous sortions ensemble, comme tous les couples à leurs débuts, en partie pour éviter les commérages.

— Pas du tout.

— Ah ? demanda-t-elle de nouveau. Peut-être, après tout… Il faut dire qu'il y a plus important que les commérages.

Il ne souffla mot, et Gina reprit :

— Je comprends bien que tu n'aies aucune envie de répondre aux questions qu'on ne manquerait pas de te poser. Du genre : « Alors, est-ce que c'est bien de sortir avec la fille du grand patron ? » Toutes ces situations embarrassantes, en échange de quelques baisers… Nous sommes bien d'accord, ça ne vaut pas le coup !

Elle s'interrompit quelques instants, pour qu'il ait le temps d'assimiler ses propos, et ajouta :

— Même en échange de folles nuits, à vrai dire.

Elle eut l'impression que Gerrick se pétrifiait en face d'elle. Cette fois, lorsqu'il la regarda, il avait un air terriblement renfrogné. Elle se demanda même s'il ne grinçait pas des dents.

— Excuse-moi, reprit-elle. Je parle, je parle, et je t'empêche de te concentrer sur ta lecture. Continue. Je te promets de me taire.

— J'ai une meilleure idée. Retourne dans ton bureau. Je lirai ces documents ce soir, à tête reposée. Fixons-nous rendez-vous demain. A 10 heures.

Sur ce, il referma la chemise et se mit à pianoter sur le clavier de son ordinateur.

Encore raté !

— Tu n'aurais pas dû lui parler pendant qu'il lisait.

— C'est bien toi qui m'as dit que je devais lui parler, non ?

— Oui. Mais il n'aime pas les gens qui lui parlent pendant qu'il essaie de lire.

— Merci.

— Je ne comprends pas bien ce qui se passe, Gina. Il s'agissait pourtant d'un simple « petit différend », me semble-t-il ?

Gina fixa obstinément la pointe de ses escarpins.

— Et Gerrick est un type disposé à entendre raison, poursuivit son père. Je me demande quel est le motif de ce « petit différend », pour qu'il ne soit pas aplani au bout de trois jours ! Allons, ma fille, un peu de nerf !

Pour éviter de répondre, elle porta à sa bouche une grosse cuillerée de purée de céleri.

Il était temps de changer d'artillerie.

Le lendemain matin, elle remonta ses cheveux en un chignon identique à celui qu'elle s'était fait à Las Vegas, ce fameux soir, et elle revêtit la même tenue : un chemisier de soie rouge sur un pantalon en crêpe noir.

Comme elle en avait assez d'attendre, elle entra dans le bureau de Gerrick deux minutes après l'arrivée de ce dernier.

— Bonjour, Gerrick.

— Bonjour, Gina, lui répondit-il d'un ton jovial, tandis qu'il suspendait son veston dans le placard.

Lorsqu'il se tourna dans sa direction, elle vit ses traits se figer. Elle se rapprocha néanmoins du bureau et y posa une nouvelle chemise en carton.

— Je suis certaine que tu vas apprécier ces notes à leur juste valeur.

Gerrick s'éclaircit la voix et porta la main à sa cravate, qu'il lissa d'un geste nerveux.

— En fait, je ne suis pas si pressé de procéder à ce remaniement de personnel. Il vaudrait peut-être mieux…

Gagné. Sa tactique consistait à l'ignorer chaque fois qu'il se trouvait confronté à son attirance pour elle. Ou chaque fois qu'il se souvenait qu'ils étaient mariés.

— Sottises ! Lis ce que je viens de t'apporter, insista-t-elle.

Il haussa les épaules et s'assit à son bureau pour prendre connaissance des documents. Pendant ce temps, Gina fit quelques pas dans la pièce, avec un air d'ennui profond. Elle simula même un bâillement avant de se rapprocher de la fenêtre — et donc de Gerrick.

— Alors ? lui demanda-t-elle au bout de trois minutes.

— Je n'ai pas fini.

Il avait répondu sans lever les yeux sur elle. Comme les fois précédentes, il cherchait à ériger une barrière entre eux. Mais elle n'était pas disposée à se laisser écarter, et franchit le mètre qui la séparait de son fauteuil.

— Ces suggestions m'ont paru tout particulièrement intéressantes.

Gerrick garda le silence. Elle ne bougea pas. C'était à lui de jouer.

— Intéressantes, en effet, articula-t-il enfin.

Gina n'eut qu'à se pencher pour se retrouver à hauteur de son visage, toujours tendu. Le vert des prunelles lui parut plus dense. Il reflétait cette passion qui les avait réunis, quelques semaines plus tôt. Mais pas seulement la passion. Quelque chose de plus subtil, qu'elle ne parvint à définir.

— Je n'aurais jamais envisagé de placer Dolly et Deb au service de contrôle de qualité, reprit-il, toujours à voix basse.

— Pourtant, compte tenu de leur expérience professionnelle, ce sont des postes qui devraient leur convenir à merveille.

Elle entrouvrit les lèvres et attendit, prête à parier qu'il ne résisterait pas très longtemps au désir de l'embrasser. Et elle vit passer de nouveau dans son regard cette lueur étrange. Ce qu'elle y lisait n'était ni de la peur, ni de la lâcheté. Plutôt de la prudence… ou du chagrin.

Et cette découverte déclencha en elle une réaction insoupçonnée. Elle s'aperçut qu'elle était prête à tout pour éviter qu'il souffre.

Elle s'aperçut qu'elle l'aimait.

Elle l'aimait et voulait le rendre heureux. S'il s'obstinait à repousser ses avances, elle n'insisterait pas.

— Je pense que la suggestion concernant Georgia devrait te plaire également, dit-elle, s'écartant doucement de lui.

Mieux valait ne pas le placer sur un chemin qu'il n'était pas prêt à suivre.

A lui de jouer, maintenant…

6.

Le lundi matin, Gerrick se réveilla en sursaut. Après avoir passé le week-end à s'abrutir de travail pour ne pas penser à Gina, la perspective de la retrouver avait provoqué un rêve insoutenable. Un rêve dans lequel elle était sa femme…

Mais *elle était* sa femme !

Elle ressemblait chaque jour un peu plus à celle qu'il avait épousée à Las Vegas. Il se sentait chaque jour un peu plus proche d'elle.

Ce qui signifiait qu'il allait au-devant de graves ennuis. A moins que…

Et si elle avait raison d'insister pour qu'il leur laisse une deuxième chance ? Si seul l'état de choc dans lequel l'avait plongée l'accident de Hilton était responsable de la froideur qu'elle lui avait témoignée, à ce moment-là ?

Si…

Ce n'étaient là que suppositions. Mais essayer plus longtemps de faire comme si tout allait pour le mieux dans le meilleur des mondes relevait de l'impossible.

Ils étaient mariés. Et c'était *lui* qui avait proposé ce voyage à Las Vegas. *Lui* qui avait accepté sa folle demande en mariage. *Lui* qui l'avait empêchée de formuler ses doutes, le lendemain. Il ne pouvait donc pas décemment tirer un trait sur cette union, comme s'il s'agissait d'une affaire quelconque.

Gerrick avait le cœur qui battait fort, ce matin-là, lorsqu'il poussa la porte de son bureau. Sa première expérience avec Gina l'avait laissé meurtri. Ne se préparait-il pas à essuyer un autre échec, plus cuisant encore que le premier ? Peut-être, mais il devait retenter sa chance. Et sans tricher, cette fois. C'était d'un commun accord qu'ils s'engageraient dans cette relation, tous deux conscients de ce qu'ils faisaient.

— Barbara ? Vous voulez bien appeler Gina et lui demander de me rejoindre tout de suite dans mon bureau, s'il vous plaît ?

Sans se soucier du travail qui l'attendait, il s'installa à son bureau et s'efforça de se calmer. La décision qu'il avait prise était la plus pertinente de toute son existence… ou bien la plus absurde.

Quelques instants plus tard, la silhouette de la jeune femme se dessinait dans l'embrasure de la porte.

— Qu'y a-t-il ? lança-t-elle, étonnée.

D'un geste de la main, il l'invita à fermer la porte et à prendre place.

— J'ai réfléchi à la nature de notre relation, commença-t-il d'une voix tendue, et j'en suis arrivé à penser qu'il était possible que je me trompe. Je suis conscient de m'être parfois comporté comme un goujat, et je tiens à m'en excuser.

Gina, qui ignorait ce qui allait suivre et préférait éviter de se couvrir de ridicule, haussa les épaules.

— Ce n'est pas très grave, Gerrick. Je comprends bien que…

— Non, l'interrompit-il. Tu comprenais peut-être ce que je ressentais vendredi, mais pendant le week-end…

Le téléphone sonna à cet instant précis et il décrocha d'un geste sec.

— Désolé, Barbara. J'ai oublié de vous demander de ne pas me passer les communications.

— D'accord, répondit la secrétaire. Mais je crois que vous allez prendre celle-ci. Hilton attend sur la 3.

Gerrick leva les yeux au ciel et appuya sur la touche 3.

— Bonjour, Hilton. Vous... appelez pour une raison précise ?

— Non, non. Comme ça. Juste pour savoir si tu as un problème, et si tu aurais envie de m'en parler...

— Non. Pas encore, en tout cas, répondit-il en riant. J'essaie de m'organiser. D'ailleurs, il y a en ce moment même quelqu'un dans mon bureau.

— Oh, non ! Ce ne serait pas Gina, par hasard ?

Celle-ci retint son souffle. Son père ignorait que Gerrick avait branché le haut-parleur et qu'elle l'entendait. Il s'imaginait sans doute qu'elle était venue le trouver pour mettre en pratique l'une de ses tactiques destinées à le faire changer d'avis. S'il disait quelque chose dans ce sens, s'il essayait de plaider en sa faveur, il risquait de tout compromettre.

— Tout juste, répondit Gerrick.

— Dans ce cas, je vais vous laisser.

En entendant ces mots, Gina ressentit un profond soulagement. Un soulagement mêlé d'étonnement. Son père n'était pas le genre d'homme à abandonner si facilement la partie. Ne serait-il pas en train de leur jouer un tour ? Après tout, il pouvait difficilement admettre qu'il était au courant de leur mariage, mais il l'incitait tous les soirs à parler de sa relation avec Gerrick... En outre, c'était bien la première fois que Hilton ne saisissait pas l'occasion de s'occuper des affaires de sa fille chérie !

— Mais non, vous ne nous dérangez pas.

— Allons, allons ! Je me suis promis de ne pas devenir un vieil enquiquineur qui cherche à tout savoir et à tout diriger à distance.

— Quelle idée ! protesta innocemment Gerrick. Vous savez bien que vous pouvez appeler quand vous en avez envie, et que j'apprécie toujours vos conseils.

— Mmm... Je préfère vous laisser tranquilles, tous les deux. Je te rappellerai plus tard, Gerrick.

— Comme vous voudrez.

Mais Hilton avait déjà raccroché.

— Bizarre..., murmura-t-il.

Gina souriait. Elle croyait deviner le motif de cette attitude réservée, pour le moins inhabituelle chez Hilton.

— Mon père a beaucoup changé depuis son alerte cardiaque, allégua-t-elle. Je l'ai même surpris en train de lire avec intérêt un ouvrage de jardinage.

— Tu plaisantes ? lança Gerrick, amusé.

— Absolument pas !

Le téléphone sonna alors de nouveau. Gerrick posa sur l'appareil un regard noir. Gina aussi, car le ton léger sur lequel ils avaient échangé ces quelques propos lui avait remis du baume au cœur. C'était ce genre de relation qu'elle cherchait à rétablir avec l'homme auquel elle était mariée.

— Allô ? dit-il, d'un ton plutôt sec.

— Salut, Gerrick. Ethan à l'appareil. Je viens de recevoir les contrats de nos deux nouveaux clients potentiels. Ma secrétaire est en train de préparer des copies, qu'elle t'apportera dans ton bureau. D'habitude, je les lisais et je donnais mon avis à Hilton, mais dans la mesure où tu viens tout juste de prendre les fonctions de P.-D.G., j'ai pensé que tu préférerais les lire toi-même.

— En effet.

Au son de sa voix, Gina comprit qu'il se réjouissait de conclure bientôt de nouvelles affaires pour l'entreprise. Pourtant, il se tourna vers elle à ce moment et dit dans le combiné :

— Je suis occupé, et j'en ai au bas mot pour une heure. Envoie-moi ces copies, je t'appellerai quand j'en aurai pris connaissance.

— D'accord.

Gerrick raccrocha.

— Où en étions-nous ? demanda-t-il en se passant la main sur la nuque.

Gina le dévisagea et éclata de rire.

— Honnêtement… je ne sais plus. Ah, oui ! Il me semble que nous parlions de mon père.

— Ce n'est pas de Hilton que je souhaitais te parler, Gina.

— Non ? murmura-t-elle, le cœur battant.

— Non.

— Comme je te le disais avant que nous soyons interrompus, j'ai réfléchi ce week-end…

La sonnerie du téléphone retentit à ce moment-là, et il lâcha un juron.

— Oui ?

— J'ai l'impression de te déranger, mon vieux…, railla Josh.

— Non, non.

— Je voulais te communiquer les derniers chiffres du rapport bancaire.

— Je peux te rappeler, Josh ?

— Bien sûr.

Gerrick reposait le combiné lorsque Gina déclara :

— Je pense que nous allons avoir du mal à poursuivre cette conversation…, observa-t-elle avec une grimace comique.

— J'en ai bien l'impression. En deux mots, Gina : je pense que tu as raison de suggérer que nous reprenions notre relation depuis le début. Mais il est préférable que nous en discutions tranquillement… ailleurs que dans mon bureau ! Est-ce que tu es libre, ce soir ? Nous pourrions dîner ensemble…

Gina écarquilla les yeux.

— Tu voudrais que nous abordions un sujet aussi privé dans un lieu public ? Je suis connue, Gerrick, et mon père a des amis un peu partout. Il suffirait que quelqu'un nous entende pour que notre secret soit éventé.

— Dans ce cas, retrouvons-nous dans ma chambre d'hôtel.

— Euh… non.

Si elle préférait éviter les lieux publics, elle jugeait plus dangereux encore un cadre aussi intime.

— J'ai une idée, reprit-il, je vais appeler l'hôtel et demander qu'on transfère mes affaires dans une suite. Ce qui nous permettra de disposer d'un salon.

Elle regarda autour d'elle et se mordit la lèvre.

— Je ne sais pas trop…

— Nous ne pouvons pas aller chez toi parce que ton père y est. Nous ne pouvons pas non plus parler en public. Voilà qui restreint singulièrement le choix !

— Excuse-moi. Tu as raison.

— Ce soir à mon hôtel ?

— D'accord.

Trop excitée pour se concentrer sur son travail, Gina décida de s'octroyer une demi-journée de congé, cet après-midi-là. Arrivée chez elle, elle monta à l'étage à pas furtifs afin de ne pas devoir fournir des explications à Hilton, et fit couler un bain dans la salle de bains attenant à sa chambre. Elle avait envie de se détendre, de profiter pleinement de ces quelques heures de liberté.

Immergée dans la mousse parfumée au jasmin, elle baissa les paupières afin de mieux se remémorer chaque instant de son entretien avec Gerrick. Finalement, elle bénissait ces sonneries intempestives. Grâce à elles, ils allaient passer une soirée en tête à tête.

Mais soudain, elle se rembrunit. Gerrick lui avait paru nerveux. Et résigné plutôt qu'heureux. La perspective de la retrouver ce soir-là semblait engendrer en lui une indéniable anxiété.

Gina se redressa lentement dans la baignoire. Peut-être se réjouissait-elle à tort…

Elle s'allongea de nouveau et, les yeux clos, chercha à se rappeler le plus de détails qu'elle pouvait de leur voyage à Las Vegas. Pourquoi diable n'étaient-ils jamais à l'unisson ? Quand il voulait d'elle, elle ne voulait pas de lui. Et maintenant, alors qu'elle déployait des trésors d'amabilité, il se tenait sur la réserve.

Une amabilité qui avait d'ailleurs ses limites. Car elle ne se sentait pas prête à endosser dès le lendemain le rôle de Mme Gerrick Green. Pas plus qu'elle ne se sentait prête à s'installer chez lui. En fait, elle ne savait pas trop ce qu'elle attendait de cette relation. Elle savait seulement qu'ils devaient se voir, sortir ensemble. Tisser peu à peu les liens qui conduisent au mariage, en fait. Cela lui semblait être, pour l'heure, la solution la plus sensée. La seule, à vrai dire.

Pourtant, en y réfléchissant bien, ce genre de rapports n'avait jamais paru tenter Gerrick. Ce fameux matin, dans la chambre d'hôtel, il avait l'air très satisfait. Sur le vol de retour, il s'était aussi comporté comme un jeune époux amoureux — mais pas transi ! Dès leur arrivée à Atlanta, il avait même décidé d'aller trouver Hilton pour l'informer des derniers événements.

Il lui avait prouvé qu'il était prêt à affronter le dragon, pour garder la princesse !

Songeuse, elle leva une jambe, la regarda et la replongea dans le bain. Cet amour presque sans bornes qu'il lui avait manifesté après leur première — et seule — nuit d'amour, la laissait perplexe. Mais bien sûr, il s'en souvenait, lui, de cette nuit. Pas elle. Et si cela suffisait à expliquer le fait qu'ils avaient du mal, aujourd'hui, à trouver un terrain d'entente ?

Gerrick n'appréciait sans doute pas qu'elle ne garde aucun souvenir de ces moments qui auraient dû être inoubliables. Cela ne flattait sûrement pas son ego masculin. D'ailleurs, il n'avait changé d'attitude à son égard que lorsqu'elle lui avait révélé cette sorte d'amnésie.

Après avoir tourné maintes fois ces pensées dans sa tête, Gina en arriva à la conclusion que c'était là la source de leur problème actuel. Soit elle se résignait à ce déséquilibre entre eux, soit elle faisait en sorte de rétablir l'équilibre. Et il n'existait qu'un seul moyen.

Sans cesser de méditer sur ce sujet, elle sortit enfin du bain, et revêtit un jean et un pull rose. Puis elle se maquilla un peu, et se brossa longuement les cheveux afin de leur donner du volume. Ces préparatifs la remplirent de plaisir. Pour une fois dans sa vie, elle ne cherchait pas à lutter contre ses instincts féminins.

Ces mêmes instincts féminins l'incitaient à revivre avec Gerrick tous ces moments rayés de sa mémoire. Ils se retrouveraient alors à égalité, et auraient sans doute moins de mal à repartir de zéro pour construire une vraie relation de couple.

Utiliser l'acte d'amour comme arme stratégique ne lui plaisait cependant pas outre mesure.

En descendant l'escalier, Gina pesait toujours le pour et le contre de cette manœuvre. Elle atteignait les dernières marches quand elle vit son père avancer vers elle, et se rappela ne pas l'avoir informé de ses projets pour la soirée. Il ignorait qu'elle ne dînerait pas avec lui.

— Tu n'as rien à me dire ? lui demanda-t-il sans ambages, tandis qu'elle le rejoignait dans le hall.

— Non. Pourquoi ?

— Eh bien, tu es rentrée beaucoup plus tôt que d'habitude, aujourd'hui, et tu as passé l'après-midi dans ta chambre. Je ne suis pas le genre de type à me mêler de ce qui ne me regarde pas, mais Maria a cru t'entendre pleurer.

Gina éclata de rire. Elle reconnaissait bien là son père ! L'extrême discrétion dont il avait fait preuve ce matin-là lorsqu'il avait appelé Gerrick à son bureau n'était qu'une apparence.

— Tu sais, papa, je suis la première à admettre que tu as changé, depuis cette crise cardiaque. Et je comprends bien qu'il t'arrive de t'ennuyer. Mais je suppose que si Maria est allée rôder devant la porte de ma chambre, c'est parce que tu le lui as suggéré. Et je te rassure, je ne pleurais pas. Ce qu'elle a probablement entendu, c'est l'écoulement de l'eau dans les tuyauteries… ce qui m'incite à m'interroger sur le bruit que je fais quand je pleure ! Bref, comme je te le disais donc, je ne pleurais pas. J'étais en train de me préparer pour ce soir.

— Tu sors ? s'enquit Hilton, un sourcil levé.

— Oui.

— Avec qui ?

Ce n'était cependant pas la première fois qu'elle déjouait la curiosité de son père, et cette question ne la gêna donc guère.

— Avec quelqu'un ! lui répondit-elle, souriante, avant de se diriger vers la porte.

— J'espère que tu rentreras à une heure décente.

— Je te rappelle que j'ai vingt-huit ans, papa.

Au moment même où ces mots franchissaient ses lèvres, Gina marqua une halte. A l'âge de vingt-huit ans, elle n'avait jamais causé le moindre souci à son père. Le moment n'était sans doute pas des plus choisis pour changer de cap, vu qu'il se remettait d'une sérieuse alerte cardiaque. Mais elle était adulte, et folle de l'homme qu'elle avait épousé.

Folle de Gerrick.

Si elle ne s'engageait pas dans cette relation, celle-ci s'effriterait. En l'épousant, en faisant l'amour avec elle, Gerrick s'était investi. Pas elle.

Elle revint sur ses pas et embrassa tendrement son père.

— Ne m'attends pas.

Ce fut sur ces mots qu'elle sortit. En cette superbe fin d'après-midi d'avril, l'air était chargé d'exquises senteurs printanières. Et elle allait retrouver Gerrick. Elle aurait voulu le crier à pleins poumons.

Elle l'aimait.

Elle était heureuse. Heureuse et impatiente de lui prouver qu'elle souhaitait elle aussi s'engager.

Gerrick allait et venait dans la suite qui lui avait été attribuée à sa demande. Il avait du mal à ignorer la nervosité qui s'était emparée de lui ce matin-là, et semblait augmenter de minute en minute. Pourquoi n'avaient-ils pas décidé, tout simplement, d'aller au cinéma ? Ils avaient tout le temps de discuter de leur relation, de chercher à établir un mode de fonctionnement. En décidant de tout régler ce soir-là, ils avaient gâché leur premier rendez-vous.

Leur premier rendez-vous...

Il était marié à cette femme. Il tentait depuis des mois de se rapprocher d'elle. Ils avaient passé un week-end ensemble. Il lui avait fait l'amour. Ils s'étaient embrassés des dizaines de fois pendant qu'elle jouait et gagnait.

Se fixer maintenant des rendez-vous paraissait vraiment bizarre...

Si ce n'est que Gina n'avait rien remarqué de ses manœuvres de séduction, et qu'elle avait aussi oublié leur nuit d'amour. Cette relation était toute nouvelle pour elle, pas pour lui. Et c'était bien là le problème.

Il avait quitté le bureau plus tôt qu'à l'accoutumée, afin de vérifier qu'on avait bien apporté ses effets personnels dans une suite. Puis il avait commandé une bouteille de vin de Bordeaux, qui trônait sur la table basse du petit salon. Il s'était demandé à maintes reprises s'il devait rester en costume, enlever sa cravate, se changer…

Il savait que la jeune femme avait pris un après-midi de congé, et se demandait s'il devait interpréter cela comme un signe positif ou pas.

Lorsqu'elle frappa à sa porte, il était terriblement nerveux. Il inspira profondément, remit sa cravate en place, et lui ouvrit la porte. Elle se tenait devant lui, en jean et pull léger, les cheveux lâchés. Elle avait l'air toute fraîche, débordante d'énergie.

— J'aurais dû me changer.

Ce furent là les premiers mots qui lui vinrent à l'esprit.

— Mais non, lui dit-elle avec un sourire. Tu es très bien. Dénoue peut-être un peu ta cravate.

Elle se rapprocha de lui, et le fit à sa place. Lorsque ses doigts lui frôlèrent le cou, il faillit lui prendre la main et la porter à ses lèvres. Mais il se maîtrisa. Il ne brûlerait pas les étapes, cette fois.

— Il y a du vin, dit-il d'une voix qui se voulait détendue. Je vais appeler le restaurant de l'établissement pour qu'on nous apporte un plateau d'amuse-gueules. A moins que… nous n'allions au cinéma, suggéra-t-il en s'écartant d'elle. Pour nous détendre un peu avant de nous lancer dans cette grande discussion.

Gina regarda autour d'elle et secoua la tête.

— Non. Nous serons très bien ici.

Il déglutit avec peine. Cette situation lui rappelait trop ce qu'ils avaient vécu à Las Vegas. Il fallait qu'il se ressaisisse.

Après leur avoir servi un verre de vin à chacun, il invita Gina à s'asseoir sur le canapé et prit place à côté d'elle.

— Alors ? Par quoi voudrais-tu commencer ? lui demanda-t-elle.

— Pour ne rien te cacher, je n'ai pas trop réfléchi. J'ai du mal à me concentrer, en ce moment.

— Je comprends. Compte tenu de tes nouvelles responsabilités…

— Oh, ça n'a rien à voir ! répliqua-t-il en riant. Sans vouloir me vanter, je pense que je pourrais presque exercer ces fonctions les yeux fermés.

— Dans ce cas…

— C'est toi qui me préoccupes. Plus exactement… *nous*, rectifia-t-il, conscient qu'ils ne devaient rien se cacher, s'ils voulaient repartir sur des bases saines. J'ai du mal à me modérer, à ne pas me projeter dans l'avenir. Alors que toi…

— Je sais. Nous ne sommes pas au diapason. Mais ce n'est pas ce qui compte le plus, là, tout de suite.

— Ah ?

— Je ne suis pas certaine de t'avoir dit certaines choses essentielles. Que tu me plaisais beaucoup, par exemple. J'avais seize ans quand nous nous sommes connus. A cette époque-là, je te trouvais « super mignon ». Maintenant, je te trouve superbe. Attends, laisse-moi finir… En ce moment même, ce que je souhaite le plus au monde, c'est que nous fassions l'amour.

Comme elle tendait la main vers lui, il la retint par le poignet.

— Je ne crois pas que ce soit une bonne idée.

— Et je pense, moi, que c'est la meilleure. La seule, pour

ainsi dire. J'ajouterai même que ce serait peut-être *la* solution à nos problèmes…

En prononçant ces derniers mots, elle s'était rapprochée de lui. Il s'apprêtait à protester quand elle lui passa les bras autour du cou et l'embrassa.

7.

Les lèvres de Gina étaient douces, tièdes et sucrées. Dès qu'il y goûta, il comprit qu'il ne trouverait pas en lui la force de résister plus longtemps. Elle lui offrait ce qu'il désirait depuis de longs mois. Un voyageur refuserait-il une gourde d'eau fraîche après avoir traversé le désert ?

Comme ils échangeaient un baiser ardent, Gina prit conscience du désir fou qu'elle suscitait en lui. C'était ce même désir qui avait dû les pousser dans les bras l'un de l'autre, à Las Vegas. S'il l'avait embrassée ainsi tandis qu'elle se livrait à une foule de jeux de hasard, elle comprenait pourquoi elle l'avait épousé. Gerrick était un homme beau, gentil, intelligent, qui lui manifestait sa flamme.

C'était *elle* qui l'intéressait. Pas son argent ni sa position sociale. Pas le rang auquel il accéderait en l'épousant.

Etroitement enlacés, ils changèrent de position sur le canapé, et les doigts de Gerrick effleurèrent sa poitrine.

— Je ne pense pas que ce soit bien…

Elle avait saisi le sens de cette phrase. Gerrick cherchait à lui dire que cette étreinte ne les conduirait pas à la discussion constructive qu'ils avaient décidé d'avoir. Elle feignit cependant de mal interpréter ses propos.

— Dans ce cas, allons dans la chambre.

Il s'immobilisa et, de ses grands yeux verts, sonda le regard de sa compagne.

— Vraiment ?

— Oui. Je t'aime, Gerrick.

Elle fut aussi surprise que lui d'entendre cette déclaration. Mais elle ne revint pas sur ses mots. Ils étaient unis depuis des années par un lien d'amitié. Un lien qui s'était resserré tandis qu'ils travaillaient en collaboration, et plus encore lorsque Chad l'avait quittée. Jusqu'à ce qu'ils découvrent l'attirance presque magnétique qui jouait entre eux, à Las Vegas, et deviennent amants. Tous ces moments partagés les avaient menés à l'amour. Pour Gina, c'était aussi simple que cela.

Ce fut donc avec bonheur qu'elle le suivit dans la pièce voisine, et avec plus de bonheur encore qu'elle se donna à lui.

Au moment culminant de leur étreinte, elle lut dans son regard tout ce en quoi elle avait envie de croire. Cet homme l'aimait. Peut-être même plus qu'elle ne l'aimait.

— Je croyais que nous devions avancer pas à pas dans cette relation, prendre les choses avec calme, dit Gerrick, d'une voix encore altérée.

Lovée contre lui, Gina hocha la tête.

— Absolument. C'est ce que nous faisons.

— Ah ? Tu as une notion assez particulière du calme…

— Bon, admit-elle en fronçant le nez. D'accord, tu as raison. Mais j'ai pensé qu'il fallait d'abord en passer par là.

Il s'écarta légèrement d'elle pour la fixer, les yeux écarquillés.

— *En passer par là* ?… A t'entendre, on croirait qu'il s'agit d'une épreuve !

— Appelons un chat un chat, Gerrick. Tu te rappelais notre nuit d'amour, moi pas. Et j'avais l'impression que ces souvenirs s'interposaient entre nous, comme une troisième personne. Tu connaissais quelque chose que j'ignorais. Quelque chose qui, à mes yeux, te rendait plus fort, plus sûr de toi. Quelque chose de bon, je le pressentais.

Souriant, elle tendit la main pour lui caresser le visage.

— Je ne me trompais pas… Nous sommes passionnément épris l'un de l'autre.

— Je serais prêt à tout pour toi, Gina. Tu n'auras jamais à douter de moi.

Il s'était exprimé d'un ton grave et solennel, qui fit naître un sourire sur les lèvres de la jeune femme.

— Nous ne sommes pas des héros de contes de fées, dit-elle. Tu ne devras combattre aucun monstre pour me sauver ! Je ne pense même pas avoir un seul ennemi digne de ce nom.

— Nous sommes quand même confrontés à un menu problème : personne n'est au courant de notre mariage.

— Exact, admit-elle avec un soupir. Que suggères-tu ?

Tenant toujours Gina serrée contre lui, Gerrick s'adossa à l'oreiller et fixa le plafond.

— En rentrant de Las Vegas, nous étions prêts à annoncer la nouvelle à ton père. Sur le moment, la démarche semblait logique. Elle l'est moins, maintenant.

— Ah ? Et pourquoi ?

— Vois-tu, si intenses qu'ils soient, les moments que nous venons de vivre ensemble n'ont rien résolu entre nous. Je t'aime, Gina. De tout mon cœur. Mais je me demande si nous pouvons vivre ensemble.

Il remarqua qu'elle souriait de nouveau, et poursuivit :

— Tu auras peut-être moins envie de sourire quand tu découvriras que je suis très exigeant, et que j'ai une fâcheuse tendance à me surprotéger.

Cette fois, Gina écarquilla les yeux. Le portrait qu'il peignait ne correspondait pas à l'homme qu'elle connaissait.

— J'ai du mal à te croire.

— C'est pourtant vrai. J'avais six ans quand mon père a quitté le domicile familial. Plus tard, ma mère m'a abandonné chez sa sœur, qui n'avait pas d'enfants. D'une certaine façon, elle nous a fait un cadeau, aussi bien à ma tante qu'à moi. Mais ma mère ne nous avait rien dit, ni à l'un ni à l'autre. Elle m'a déposée chez ma tante pour l'été, et n'est jamais revenue me chercher. Mon oncle et ma tante ont été prompts à réagir. Par le biais des services administratifs, ils ont réussi à se procurer mes papiers d'identité et m'ont inscrit à l'école. Bien entendu, ces événements m'avaient troublé. J'ai joué les rebelles pendant quatre ans, et j'ai passé les quatre années suivantes à chercher à me rattraper.

A cette étape de son récit, il inspira profondément.

— J'ai poursuivi des études. Ils ont même eu la joie d'assister à ma remise de diplôme dans une grande école commerciale… juste avant d'être tous les deux tués dans un accident de voiture.

— C'est à ce moment-là que mon père t'a embauché ?

Il acquiesça.

— Drôle de vie…, observa-t-elle d'une voix lointaine. Ça ressemble à du Dickens. Une histoire, en tout cas, très différente de la mienne.

— En effet.

— C'est ce qui te porte à croire que nous aurons du mal à vivre ensemble ?

— Notre passé nous forme, et détermine aussi la façon dont nous réagissons ensuite aux différents événements de l'existence.

Les sourcils froncés, Gina réfléchit à ce qu'elle venait d'entendre.

— Tu veux dire par là que c'est à cause de mon passé que je t'ai rejeté, quand nous sommes rentrés de Las Vegas et que j'ai appris que mon père était malade ?

— Oui. Mais ce n'est pas un très bon exemple. Je crois plutôt que le problème vient de moi, pas de toi. Bien que tu aies perdu ta mère, tu n'as jamais douté de l'amour qu'elle te portait quand elle était en vie. Et n'importe quel demeuré est capable de remarquer que ton père a pour toi une véritable adoration. Je ne veux pas dire par là que tu as mené une vie toute rose, mais les difficultés auxquelles tu as été confrontée étaient très différentes des miennes.

— Tu as raison. Il n'en reste pas moins que j'ai eu, moi aussi, mon lot de problèmes.

La fierté avec laquelle elle avait prononcé ces mots ne fut pas sans la surprendre.

— Des problèmes relationnels, qui ne sont certes pas comparables aux deux abandons que tu as subis, mais qui m'ont appris à me méfier des gens. Je suppose donc qu'à ma manière, il peut m'arriver à moi aussi de me montrer très exigeante et de me surprotéger.

Songeur, Gerrick soupira et caressa le bras nu de Gina.

— La vie nous a donc appris, à toi comme à moi, à faire preuve de prudence.

Elle hocha la tête.

— A part Chad, le coureur de jupons, quel autre genre de problème as-tu eu ?

— Rien que de très classique ! Je suis sortie avec de délicats personnages qui s'intéressaient à mon argent ou à celui de mon père. Tu n'imagines pas le nombre de types « faits pour moi » qui m'ont été présentés à des soirées, par des banquiers soi-disant bien intentionnés, parfaitement au courant de ma situation financière !

Comme Gerrick éclatait de rire, elle fronça le nez.

— Ce n'est pas drôle.

— Bien sûr que si ! Ne serait-ce que parce que nos deux histoires sont diamétralement opposées. Tout le monde veut de toi, alors que j'ai été abandonné — et deux fois plutôt qu'une ! J'imagine qu'il y a des gens disposés à verser de généreuses sommes pour avoir le privilège d'être assis à côté de toi au spectacle ou à des dîners importants.

— Je ne vois toujours pas ce qu'il y a d'amusant.

— Rien, en effet.

Il avait cependant du mal à réprimer son envie de rire.

— Ça ne fait que confirmer ce que je pense : que nous sommes très différents l'un de l'autre, et que ton existence et la mienne n'ont rien de comparable.

— Dans ce cas, ne les comparons pas. Pourquoi ne pas vivre le présent et le futur, en ignorant le passé ?

— Parce que c'est notre passé qui a fait de nous ce que nous sommes aujourd'hui. C'est notre vécu qui nous incite à réagir de telle ou telle façon, face à une situation donnée. Une façon que l'autre ne comprend pas toujours. Sans aller chercher bien loin, rappelle-toi ce qui s'est passé le jour où nous sommes revenus à Atlanta et où nous avons appris que ton père avait des problèmes de santé.

Elle fut sur le point de rétorquer qu'elle avait refusé son aide, à cette occasion, parce que personne n'était au courant de leur mariage. Mais elle se tut, car ce n'était qu'en partie vrai.

— Je suggère donc, reprit-il, que nous évitions toute décision précipitée.

— Si ce n'est que… j'ai bien l'impression que mon père se doute de quelque chose.

A ces mots, Gerrick se redressa et darda sur sa compagne un regard stupéfait.

— Hilton… saurait que nous sommes mariés ?

— Je pense qu'il a quelques soupçons, mais qu'il a choisi pour l'instant de jouer la carte de la discrétion. De crainte de tout gâcher, peut-être.

— Ce qui expliquerait le comportement pour le moins étrange qu'il a eu, ce matin, quand il m'a appelé alors que tu étais dans mon bureau ?

— Exact. Or, si nous lui révélons la vérité, il considérera qu'il n'a plus à rester sur la réserve. Et il est bien possible, alors, qu'il nous rende la vie impossible en nous donnant une foule de conseils.

— Ou bien qu'il nous pousse à prendre des décisions que nous ne sommes pas prêts à prendre.

— Ce qui signifie que nous ne devons pas lui en parler.

— Ni à lui ni à personne, conclut Gerrick, l'air triste.

Estimant que cette discussion sérieuse avait assez duré, Gina lui passa les bras autour du cou.

— Qui sait, ça nous plaira peut-être beaucoup, de garder le silence, de nous retrouver en secret…

Cette fois, ils firent l'amour plus lentement. Toujours avec passion, mais aussi avec tendresse, en se murmurant des mots doux. Et Gina fut certaine que plus rien ne pourrait les séparer. Il était impossible que deux personnes qui s'aiment autant ne parviennent pas à résoudre les problèmes qui surgiraient sur leur route.

Elle n'avait pas envie de quitter Gerrick, mais savait qu'elle devait partir, lui laisser le temps de réfléchir au nouveau tournant que prenait leur relation.

Il la raccompagna jusqu'au parking de l'établissement, où ils s'embrassèrent encore, ne trouvant pas la force de se séparer. Puis elle rentra chez elle.

Au moment même où elle ouvrait la porte d'entrée, elle vit son père. Hilton Martin, celui que certains avaient considéré comme un redoutable homme d'affaires, tournait en rond dans le couloir, pareil à un lion en cage.

— Où étais-tu ? lança-t-il aussitôt.

Elle posa son sac sur le guéridon et le gratifia d'un regard parfaitement calme.

— D'abord, il est à peine un peu plus de minuit. Ensuite, comme je te le disais tout à l'heure, j'ai vingt-huit ans. Et pour finir, je t'avais demandé de ne pas m'attendre.

La réponse de Hilton se limita à une sorte de grognement. Il lui en coûtait manifestement de ne pas faire d'autres commentaires. Gina décida de ne pas lui fournir le moindre indice. Elle ignorait ce qu'il savait au juste de son histoire avec Gerrick, mais en tout cas, cela l'occupait assez pour l'empêcher de penser au pontage coronarien qui l'attendait !

Le lendemain matin, Gina bavardait avec l'un des employés dans le hall de l'entreprise, lorsque Gerrick arriva. Ils se saluèrent avec un sourire qui lui procura une curieuse sensation de flottement.

Elle venait tout juste de rejoindre son bureau que son téléphone sonna. Barbara, la secrétaire de Gerrick, lui annonçait que celui-ci souhaitait la voir sans plus tarder. Il l'attendait de l'autre côté de la porte, et à peine eut-elle franchi le seuil qu'il repoussa le battant pour la prendre dans ses bras et l'embrasser à en perdre haleine.

Quand il desserra enfin son étreinte, il la dévisagea et secoua doucement la tête.

— Je ne suis pas sûr de supporter très longtemps cette situation…, murmura-t-il d'une voix rauque.

— Moi non plus. Je pensais que ce serait plus facile.

— Que dirais-tu si je te proposais de nous retrouver à mon hôtel, à l'heure du déjeuner ?

— Que tu as des idées de génie ! s'exclama-t-elle en se suspendant à son cou.

Puis elle s'empressa de tourner les talons pour regagner son bureau. Elle n'avait déjà pas travaillé l'après-midi précédent, et si elle envisageait de s'échapper à midi, il fallait qu'elle mette les bouchées doubles !

Ils n'avaient établi aucun plan précis, mais Gina quitta l'entreprise seule et se rendit en voiture à l'hôtel de Gerrick. Quelques minutes plus tard elle frappait à la porte de sa chambre, se demandant s'il était déjà arrivé ou si elle devrait attendre. Au moment même où elle se posait la question, il lui ouvrit.

Et dès cet instant, elle se laissa happer par ce tourbillon de désir et de plaisir qu'elle n'avait connu que dans ses bras. Ils se donnèrent l'un à l'autre avec une ardeur qu'elle n'aurait jamais soupçonnée.

Gina reprenait tout juste son souffle lorsque son regard se posa sur la montre que portait Gerrick. Elle se redressa d'un bond. Il ne lui restait qu'un quart d'heure pour se rhabiller, se coiffer et se maquiller.

Elle s'apprêtait à se lever lorsqu'il la retint.

— Tu n'y penses pas ?

— Nous allons arriver en retard, répliqua-t-elle dans un éclat de rire. Et ensemble !

— Non. J'ai rendez-vous à 15 h 30 chez l'un de nos clients, et j'ai dit à Barbara que je ne retournerais pas au bureau après déjeuner.

— Bien. Dans ce cas, moi seule serai en retard !

— Gina, tu possèdes plus de la moitié de l'entreprise…

— Raison de plus pour être ponctuelle !

— Vas-tu te comporter de manière aussi absurde tout au long de notre mariage ?

— Serais-tu en train de te plaindre, Gerrick Green ? s'enquit-elle avec un petit sourire.

— Non, mais je tiens à te rappeler que nous avons complètement éludé la question des préliminaires, dont nous devions discuter hier soir.

— Nous avons pourtant beaucoup parlé…

— Certes. Mais il y a beaucoup de points que nous n'avons pas abordés.

Gina se mordilla les lèvres. Elle en était arrivée *seule* à la conclusion qu'ils étaient faits l'un pour l'autre. Pour cela, elle n'avait eu aucun besoin de palabrer des heures durant. Et il aurait dû en être de même pour lui. S'ils débattaient trop de leur relation, cela lui ôterait toute spontanéité.

— Et qu'il serait peut-être préférable de ne pas aborder…

— Je ne partage pas ton avis.

Les sourcils froncés, elle glissa les doigts dans ses cheveux pour les repousser en arrière.

— Si tu te détendais un peu, Gerrick ? Tu vas nous rendre fous, tous les deux, à force de chercher à t'assurer que notre amour est appelé à durer jusqu'à la fin des temps !

— Nous rendre fous, mmm… ?

— Oui.

— Et alors, que suggères-tu ? demanda-t-il en roulant sur le côté.

— Que tu me commandes un sandwich pendant que j'essaie de retrouver une allure décente avant de retourner au bureau !

— J'ai une meilleure idée…

L'idée en question les retint au lit deux heures de plus, tant et si bien que Gerrick faillit rater son rendez-vous, et que Gina jugea inutile de retourner travailler.

Elle évita son père en rentrant à la maison, et monta dans sa chambre, où elle rassembla quelques affaires qu'elle souhaitait apporter dans la chambre d'hôtel. Elle se limita au strict nécessaire, afin que tout rentre dans un vanity-case, et s'en félicita lorsque Hilton l'intercepta un peu plus tard, au moment où elle repartait.

— Tu... vas quelque part ?

— Je sors.

— Ah... Tu sors.

Elle hocha la tête et lui sourit. Elle comprit alors pourquoi il l'avait attendue, la veille, et pourquoi il rôdait ainsi autour d'elle. Il cherchait une confirmation de ce dont il se doutait. Une confirmation qu'elle n'était pas encore en mesure de lui fournir.

— Aie confiance en moi, papa. Tu auras bientôt toutes les raisons d'être content de moi !

Puis elle sortit et huma avec délices l'air qui commençait à rafraîchir un peu, après une superbe journée ensoleillée. Le printemps était en train de devenir sa saison préférée.

Elle ne se trompait pas en imaginant que Gerrick l'enlacerait dès qu'il lui ouvrirait la porte de sa chambre. Après avoir échangé un long baiser, ils commandèrent à dîner, car ils n'avaient pas pris le temps de déjeuner et étaient tous deux affamés.

Une fois le repas terminé, il se réjouit de voir Gina installer quelques affaires de toilette dans la salle de bains. Puis ils firent l'amour, et restèrent longtemps serrés dans les bras l'un de l'autre. Gerrick se serait alors considéré comme le plus heureux des hommes s'ils avaient pu s'endormir dans cette position, et se réveiller ensemble. Il savait cependant que cela relevait de l'impossible.

— Quand serons-nous *officiellement* mariés ? lui chuchota-t-il à l'oreille.

— Aucune idée. Ce que je sais, en revanche, c'est que nous avons tout intérêt à profiter de ces rendez-vous cachés. Quand mon père saura de source sûre que nous sommes mariés, nous serons beaucoup moins tranquilles, crois-moi… D'autant plus qu'il dispose maintenant de beaucoup de temps libre !

Gerrick éclata de rire.

— Il y a donc des chances pour que Hilton ne soit pas informé avant l'arrivée imminente de notre premier enfant !

Comme Gina s'était écartée de lui en entendant ces mots, il afficha un air étonné.

— Qu'y a-t-il ?

— Eh bien… Je… Tu… voudrais avoir des enfants ?

Cette question parut le décontenancer.

— Ma foi… oui. Pas toi ?

— Ce n'est pas que je ne veuille pas. Disons plutôt que je ne suis pas certaine de pouvoir en avoir.

Gerrick se sentit pris de vertige.

— A cause d'un problème d'ordre médical ?

— Mais non ! lui répondit-elle en riant. Tout simplement parce que je suis appelée à être un jour à la tête de Hilton-Cooper-Martin. Je m'imagine mal avoir des enfants aujourd'hui, et dans quelques années ne pas pouvoir leur consacrer tout le temps qu'ils méritent parce que je dirigerai l'entreprise.

Une bonne demi-minute s'écoula avant que Gerrick réagisse.

— De quoi parles-tu, au juste ?

— Des responsabilités que j'ai envers ma famille. J'ai toujours su que je devrais un jour prendre les rênes de Hilton-Cooper-Martin, pour protéger et faire fructifier l'argent de mes oncles, tantes et cousins.

— Je croyais que c'était moi qui les tenais, ces rênes.

— Pour le moment. Jusqu'à ce que tu m'aies tout enseigné.

— *Tout enseigné ?* répéta-t-il, abasourdi.

— Que tu m'aies préparée à te succéder, si tu préfères.

Le silence se fit de nouveau entre eux.

— Gina... Pas une seule fois je n'ai entendu quelqu'un me dire ou me laisser entendre que je suis censé faire de toi la future P.-D.G.

— Dans la mesure où tu travailles depuis si longtemps à Hilton-Cooper-Martin, mon père a dû penser que tu t'en doutais.

Non. Il ne s'en était jamais douté. Pas même une seconde. Ses nombreuses conversations avec Hilton l'avaient conduit à penser qu'il le considérait comme l'avenir de l'entreprise. En outre, ces nouvelles données affectaient sa relation avec Gina.

— Voyons si j'ai bien suivi..., reprit-il. Tu ne veux pas avoir d'enfants pour motifs professionnels ?

— En quelque sorte. Mais ce n'est pas vraiment un choix de ma part. C'est plutôt mon sens des responsabilités à l'égard de ma famille qui me dicte cette conduite.

— On a toujours le choix, Gina.

— Peut-être. Le mien a été fait il y a longtemps. Tu as sûrement entendu plus d'une fois mon père déclarer, en réunion, que j'étais destinée à occuper son poste.

En effet. Toutefois, comme Gina avait conservé la direction des Ressources humaines, il en avait déduit que ces fonctions lui convenaient parfaitement, et donc que le sujet n'était plus d'actualité.

— Je vois..., murmura-t-il.

— Ça ne change rien entre nous, Gerrick.

— Ah ? Bizarre... Je voudrais des enfants, toi pas. Je voudrais continuer à occuper le poste qui sera un jour le tien...

— Comment ? l'interrompit-elle d'une voix suraiguë.

Elle le scrutait, les yeux plissés, et il sentit l'orage arriver. Avant qu'elle ne prononce les mots fatidiques, il se prépara à les entendre.

— Dieu du ciel ! Tu pensais, en m'épousant, rester aux commandes de l'entreprise. Tu pensais… que je ne chercherais jamais à te déloger du fauteuil de P.-D.G. !

Elle était furieuse. Pour bien peu de choses, de l'avis de Gerrick. Elle accordait beaucoup d'importance à la partie du problème qu'ils auraient le moins de mal à résoudre, s'ils le souhaitaient vraiment.

— Ce n'est pas le fauteuil de P.-D.G. qui est en jeu.

Elle ne l'entendait pas plus qu'elle ne l'écoutait. Ce n'était plus de la colère qu'exprimait son regard, mais une tristesse infinie.

— J'ai cru avoir enfin rencontré un homme qui s'intéressait à *moi*. Je me trompais. Tu m'as épousée pour me tenir à l'écart.

— Ce que tu prétends est ridicule, dit-il d'une voix apaisante. Quand nous sommes partis à Las Vegas, nous ne pouvions prévoir ni l'un ni l'autre que Hilton aurait une crise cardiaque, et qu'il envisagerait à ce moment-là de se retirer des affaires.

— Certes. Il n'en reste pas moins qu'en m'écartant de la voie, nul n'était mieux placé que toi pour le remplacer.

Elle cligna des paupières, et, comme si ce geste lui avait permis d'y voir plus clair, elle reprit avec conviction :

— Tout s'explique, maintenant. Tu ignorais que mon père aurait de graves problèmes de santé, et c'est sans doute pour cette raison que tu as jugé nécessaire de m'épouser. Tu pensais qu'il ne tarderait pas à me préparer à assumer mes futures responsabilités. Quand Ethan nous a appris que papa venait d'être hospitalisé, tu as certainement pensé que ce mariage était inutile puisque, de toute évidence, c'était *toi* qui serais désigné pour diriger l'entreprise. Convaincu que mon père ne tarderait pas à te rappeler, tu es même parti sans protester quand je t'ai… « incité » à rejoindre ton poste dans le Maine. Et il t'a rappelé. Une semaine à peine après ton départ, il te demandait de revenir. Je comprends mieux, maintenant, pourquoi tu n'as pas pris la peine de me joindre, pourquoi tu n'as pas cherché la réconciliation. Pour une raison très simple : parce que tu n'as jamais voulu de moi !

— Gina ! protesta-t-il, la main tendue pour la retenir.

Mais, vive comme l'éclair, elle s'était levée et commençait déjà à se rhabiller. Et quand il se leva à son tour pour la rejoindre, elle secoua la tête.

— Non !

Ce « non » sec, ferme, lui rappela celui qu'elle avait prononcé à l'hôpital, quand il avait rendu visite à Hilton pour la deuxième fois, et qu'il avait voulu la prendre par la main.

Il ne dit rien, se contentant de reculer. Elle venait de lui prouver ce qu'il soupçonnait : Gina ne s'était jamais engagée dans leur relation, et il comprenait pourquoi, à présent. Elle en était incapable. Tous les hommes qu'elle avait rencontrés l'avaient blessée, et inconsciemment, elle refusait de s'investir, saisissant le premier prétexte pour rompre avant que l'autre ne lui inflige la rupture.

Leur mariage était voué à l'échec, et cela pour une raison si évidente qu'il s'étonnait de ne pas l'avoir décelée auparavant. Ironie du sort, lui qui aspirait à une union solide et stable, avait épousé une femme inapte à s'engager dans une relation durable. S'il restait avec elle, s'il s'agrippait à elle — parce que l'amour qu'il éprouvait était aussi fort que sa peur de la perdre —, il passerait sa vie à attendre le jour où elle le quitterait à tout jamais.

— Gina ! lança-t-il, comme elle se dirigeait vers la porte.

Elle ne se tourna pas vers lui.

— Je suis sincèrement désolé.

— N'essaie pas de…

— J'essaie seulement de faire ce que je dois faire.

Il n'avait jamais aimé, et n'aimerait jamais personne comme il aimait Gina.

— Nous sommes si différents…, ajouta-t-il dans un chuchotement, s'efforçant de ne pas trahir l'immense chagrin qui l'étouffait presque. Si différents que nous n'arriverons à rien construire ensemble. Je n'ai pas essayé de t'évincer, mais tu n'as pas pu t'empêcher de tirer cette conclusion, parce que tu te méfies de tout le monde.

Il marqua une pause, inspira, et ajouta, d'une voix calme :

— Je ne peux pas vivre ainsi, et toi non plus.

Lorsqu'elle se tourna vers lui, elle avait les yeux luisant de larmes.

— Voilà pourquoi je suis désolé, reprit-il. Parce que notre relation n'aboutira à rien, et nous le savons tous les deux.

8.

Partagée entre la stupeur et la colère, Gina rentra chez elle. Elle refusait de se laisser duper par la tactique de Gerrick, qui avait saisi l'occasion pour mettre un terme à leur relation ! Il s'était peut-être senti outragé qu'elle le soupçonne d'avoir œuvré pour l'écarter de son chemin, mais Gina avait connu assez d'opportunistes pour savoir que ce n'était qu'un leurre. Prétendre qu'ils étaient offensés quand on mettait leurs desseins à nu faisait partie de leur jeu.

Si ses accusations l'avaient sincèrement blessé, il avait choisi le pire des moyens pour le lui signifier ! En se comportant ainsi, il s'était rendu plus coupable encore à ses yeux.

Agrippée au volant, elle luttait contre les larmes qui lui brûlaient les paupières. Elle allait savoir si Gerrick l'avait utilisée ou pas.

Quelques minutes plus tard, elle se garait dans l'allée de la maison et se lançait à la recherche de son père, qu'elle trouva dans le jardin, en train de tailler des rosiers.

— Gina ! Tu rentres bien tôt… A en juger par l'expression de ton visage, tu as été confrontée à un problème, ma fille.

— Mmm… Et de taille ! admit-elle d'une voix tremblante. J'ai quelques questions à te poser, papa.

Hilton la fixa mais, s'en tenant à l'attitude réservée qu'il avait adoptée ces derniers temps, ne souffla mot.

— Quand as-tu annoncé à Gerrick que tu souhaitais qu'il te remplace au poste de P.-D.G. ?

— Je l'ai appelé de l'hôpital, en Pennsylvanie.

Considérant que la conversation serait longue, Hilton se rapprocha de la table en teck autour de laquelle étaient disposés des fauteuils, et s'installa dans l'un d'eux.

— Ça peut paraître prématuré, j'en suis conscient, mais quand on a une crise cardiaque, on est bien obligé d'envisager sa vie sous un nouvel angle. J'ai su très vite que je voulais prendre ma retraite.

— Tu ne lui avais jamais dit, auparavant, qu'il te succéderait ? Pas même en plaisantant ?

— Jamais.

— Tu ne lui as pas demandé de rester, quand on lui a proposé ce poste dans le Maine ?

— Du tout.

Les sourcils froncés, Hilton se pencha en avant.

— Je sais bien que je suis censé faire preuve de discrétion... mais bon sang, que se passe-t-il au juste ? !

Soudain consciente qu'elle n'était pas seule concernée dans cette affaire, elle comprit qu'elle devait répondre à son père.

— J'essaie de deviner si Gerrick n'a pas cherché à me... à *nous* manipuler.

— Nous manipuler ? répéta Hilton, interloqué.

— Allons, papa ! Quel est le moyen le plus rapide d'obtenir ce qu'on veut de son employeur ?

Il éclata de rire, comme si cette question lui paraissait ridicule.

— Bien travailler, évidemment !

— Eh bien, non ! Le meilleur moyen d'obtenir ce qu'on veut de son employeur, c'est de changer d'employeur !

— Désolé, ma chérie, je ne te suis pas.

Gina lâcha un long soupir et s'installa en face de son père. Décidément, ce dernier était encore plus crédule qu'elle l'était elle-même…

— En tout premier lieu, Gerrick s'est arrangé pour devenir ton bras droit. Il ne nous paraissait pas indispensable, mais quand tu as été hospitalisé, nous nous sommes aperçus, Ethan, Josh et moi, que lui seul était capable de te remplacer.

— Raison pour laquelle je l'ai choisi comme successeur.

— Et tu ne lui as rien proposé pour l'empêcher de partir, quand on lui a offert ce poste dans le Maine ?

— Non, Gina. Je ne tenais pas à freiner son ascension professionnelle.

— Il n'a jamais suggéré qu'il consentirait à rester si tu augmentais son salaire, par exemple ?

— Encore une fois, non. Je pense que Gerrick a toujours été très satisfait du salaire qui lui était versé. Et, comme tu le sais, il s'est même adressé à moi pour que je l'aide à décrocher ce job. Je ne lui ai d'ailleurs pas demandé pourquoi il voulait nous quitter. Ça me paraissait évident. Ce type est né pour être numéro un quelque part. Je considérais avoir eu déjà beaucoup de chance de le garder si longtemps à Hilton-Cooper-Martin. Je n'ai donc fait appel à lui que lorsque j'ai été en mesure de lui offrir mon poste.

— Tu n'as jamais imaginé, même un court instant, qu'il le briguait, ce poste ?

Regardant sa fille comme s'il craignait qu'elle n'ait perdu la raison, Hilton secoua la tête. Et Gina eut l'impression que son sang se glaçait dans ses veines. Si son père disait vrai — et elle n'avait aucune raison de mettre sa parole en doute — elle s'était livrée aux conclusions les plus épouvantables au sujet de Gerrick.

— Seigneur Dieu…, gémit-elle.

— Vas-tu, oui ou non, m'expliquer ce qui se passe ?

— Je… Nous… Papa, nous avons eu une terrible dispute, Gerrick et moi, tout à l'heure. Je l'ai accusé de vouloir m'empêcher de devenir P.-D.G. de l'entreprise.

— De… *comment* ?

Hilton, qui s'était exprimé d'une voix étranglée, dévisageait sa fille, médusé.

— Tu as bien entendu, déclara-t-elle avec humeur. A croire qu'il a le chic pour être où il faut, quand il faut !

— Il est là où je le place, Gina. Ni plus ni moins.

— Tu lui as donc confié le poste de P.-D.G., sans tenir compte du fait qu'il était censé me revenir.

— Tu voudrais occuper ce poste ?

Gina leva les yeux au ciel. Son père se montrait particulièrement obtus, aujourd'hui.

— Bien sûr ! C'est ce à quoi j'ai toujours été destinée, non ?

— Pas vraiment…

Gina, qui avait perçu une hésitation dans la voix de Hilton, comprit à ce moment-là que ce n'était pas lui qui se montrait obtus. C'était elle qui s'obstinait à ne pas regarder la vérité en face.

— Tu as donc confié à Gerrick la tâche de diriger l'entreprise *pour toujours* ?

Haussant les épaules, Hilton poussa un petit soupir.

— Il restera P.-D.G. de Hilton-Cooper-Martin aussi longtemps que cela lui conviendra.

— Et moi, dans cette affaire ?

— Gina, je ne pense pas que tu désires vraiment être à la tête de l'entreprise.

Aussi décontenancée que furieuse, elle se leva d'un bond.

— Qu'est-ce qui te permet d'affirmer une chose pareille ?

— Très simple. Tu n'as jamais rien dit ni fait qui me donne l'impression que ce poste t'intéressait. Gerrick, lui, s'est battu comme un lion pour me prouver qu'il était capable d'exercer ces fonctions. Je suis même prêt à parier qu'il accepterait une baisse de salaire pour ne pas quitter le fauteuil que je viens de lui céder. Son travail lui plaît, et il le fait bien. Avec lui, l'entreprise ne pourra que fructifier.

Il s'interrompit et sourit à sa fille.

— L'avenir financier de notre famille repose entre les mains du P.-D.G. de Hilton-Cooper-Martin. Et je ne connais personne qui soit plus qualifié que Gerrick pour nous assurer cet avenir.

Gina se laissa tomber dans le fauteuil.

— Et… quel sera mon rôle ? articula-t-elle.

— Je ne sais pas, ma chérie. J'aurais sans doute dû te parler plus tôt de tout cela. Dans la mesure où tu t'es plainte, ces derniers mois, d'être débordée de travail, j'ai pensé que tu cherchais peut-être à me préparer à un éventuel départ. En tout cas, rien dans ton attitude ou dans ton discours ne m'a laissé deviner que tu envisageais de prendre la direction de la société.

Gina redressa les épaules et le menton, puis repoussa ses cheveux en arrière.

— Ce n'est pas très grave, dit-elle d'une voix atone.

Après s'être agité sur son siège, Hilton s'éclaircit la voix.

— Le moment est peut-être mal choisi pour insister, mais je dois savoir ce qui s'est passé entre Gerrick et toi. Votre dispute te semble-t-elle assez sérieuse pour qu'il songe à me présenter sa démission ?

— Notre dispute a été *sérieuse*, comme tu dis. Mais je l'ai attaqué sur un plan personnel, pas professionnel. Je serais donc surprise qu'il ne soit pas à son poste demain matin.

En proie à une désagréable sensation de vertige, elle baissa les paupières. Elle ne dirigerait pas l'entreprise. Elle avait insulté l'homme de sa vie en l'accusant de sombres manigances.

— Bon, tant mieux, déclara Hilton.

— Oui, tant mieux, répéta-t-elle avant de partir en direction du parc.

— Où vas-tu ?

— Marcher. J'ai besoin de réfléchir.

Le lendemain matin, Gina se rendit aussitôt dans le bureau de Gerrick. Après avoir passé la nuit à analyser la situation, elle en était arrivée à plusieurs conclusions. D'abord, son père avait raison. Si elle avait réellement désiré accéder au poste de P.-D.G., elle s'en serait donné les moyens. Comme elle n'avait rien fait, cela signifiait qu'elle n'y tenait pas.

Ensuite, elle s'était montrée particulièrement injuste envers Gerrick et lui devait donc des excuses. Pour finir, s'il acceptait ces excuses, elle lui exprimerait le fond de sa pensée. Car elle croyait avoir saisi le fond du problème : elle l'avait accusé à tort de l'utiliser, parce qu'elle s'attendait à ce qu'il l'utilise ; et il l'accusait de ne pas s'investir, parce qu'il redoutait plus que tout qu'elle en soit incapable.

A vrai dire, ni l'un ni l'autre n'avaient foi en l'avenir de cette union. Ni l'un ni l'autre n'en avaient parlé à quiconque, d'ailleurs. Il serait ainsi plus facile de se défaire de ces liens…

Si Gerrick acceptait ses excuses, le secret serait donc levé. Il comprendrait qu'elle était cette fois prête à se donner sans réserve, la prendrait dans ses bras, la couvrirait de baisers…

Elle passa à côté de Barbara, qu'elle salua.

— Je dois voir Gerrick de toute urgence.

— Je vous souhaite bien du courage…, lui répondit la secrétaire en roulant les prunelles. Il est d'une humeur massacrante.

— Ça devrait s'arranger.

— J'espère.

Gina frappa un coup à la porte, et entra sans attendre d'y avoir été invitée. Elle fut confrontée à la vision de Gerrick, qui rassemblait ses affaires, manifestement prêt à partir.

— Ne fais pas ça, Gerrick ! lança-t-elle, oubliant sur-le-champ le discours pondéré qu'elle avait préparé. J'ai parlé avec mon père. Tu avais raison sur toute la ligne. Dans la mesure où nous n'avions jamais abordé ce sujet, lui et moi, je me suis méprise sur ses intentions. Comme il l'a souligné, je ne lui ai jamais donné l'impression de vouloir accéder au poste de P.-D.G. Tu lui as prouvé, en revanche, que tu étais capable de diriger l'entreprise. C'est donc toi qu'il a choisi en toute logique pour lui succéder. Et après avoir réfléchi à cette conversation, je dois dire que je partage son avis. Il ne pouvait pas faire de meilleur choix que toi.

Gerrick s'immobilisa mais ne souffla mot. Il était toujours en colère, et elle pouvait difficilement lui en vouloir.

— J'ai commis une lourde erreur, reprit-elle. Mon père aussi, sans doute, en ne m'informant pas de ses décisions. Quoi qu'il en soit, nous n'avions pas l'intention de te faire du mal. Si tu consentais à nous pardonner, cela m'éviterait de lui annoncer que tu es parti à cause de moi, alors qu'il a tellement besoin de toi. Je n'essaie pas de faire du chantage affectif, mais vu son état de santé…

Gerrick se glissa la main dans les cheveux et lâcha un long soupir.

— J'ai moi aussi des excuses à te présenter. En t'écoutant, je m'aperçois que j'ai réagi un peu trop vivement.

— *Nous* avons réagi trop vivement. Parce que notre relation nous aveugle.

— Exact.

— Mais j'ai aussi de bonnes nouvelles à t'annoncer dans ce domaine.

A ces mots, Gerrick secoua la tête.

— C'est inutile, Gina. Je ne veux rien entendre.

— Il va pourtant bien falloir que tu m'écoutes. Comme je te le disais hier, depuis l'adolescence, je n'ai eu affaire qu'à des types qui s'intéressaient à moi parce que je suis la fille de Hilton Martin. Ces malheureuses expériences m'ont incitée à me montrer d'une prudence extrême. Je regrette de t'avoir comparé à ces individus sans scrupule, mais il aurait été étonnant que je ne me livre pas à ce genre de comparaison.

— Pas de mon point de vue, Gina. Tu aurais dû savoir que je n'ai rien à voir avec ces types. Et pour une raison très simple : je n'ai pas plus besoin de ton appui que de ton argent. J'ai travaillé pendant douze ans sous les ordres de ton père, et je lui ai présenté ma démission parce qu'on me proposait ailleurs un poste davantage en accord avec mes compétences. En outre, je gagne très convenablement ma vie. Ça ne te suffisait pas, comme preuves de mon intégrité ?

— Oui et non. J'avais peur…

— Cette fois-ci, tu avais peur. La fois précédente, tu n'as pu assumer notre mariage parce que tu traversais un passage difficile, lié à l'état de santé de Hilton. Chaque fois qu'un problème surgit, tu t'enfuis.

— Ce n'est pas vrai.

— Ecoute, je n'ai pas envie de poursuivre cette discussion. Je comprends bien que tu mènes une vie un peu étrange, et que tu aies du mal à faire confiance aux hommes.

— Mais… ?

Car à l'éclat froid de son regard, elle comprenait qu'il y avait un « mais ».

— Mais je crois qu'il est temps d'admettre que nous nous sommes trompés, et d'aller de l'avant… ou de revenir en arrière, peu importe.

— Tu baisses les bras ?

— Je n'avais pas envie de faire une deuxième tentative, Gina. Tu as insisté. Et tu m'as prouvé ce dont je me doutais déjà : tu es incapable de t'engager dans une relation de couple. Je te plais. Je crois même qu'à ta façon, tu m'aimes. Mais ce n'est pas suffisant. Compte tenu de mon passé, j'ai besoin d'avoir à mon côté quelqu'un de fiable. Quelqu'un qui ne partira pas à la première anicroche.

Il ponctua ces mots d'un sourire désabusé, et reprit :

— Maintenant, si tu n'as aucun problème d'ordre professionnel à me soumettre, je souhaiterais que nous mettions fin à cet entretien. J'attends Josh qui, comme tous les jours, va m'apporter le rapport bancaire.

Gina se leva. Elle espérait qu'il l'appelle avant qu'elle ne sorte. Il ne le fit pas. Elle espérait qu'il la rattrape quand elle serait dans le couloir, la prenne par le bras, lui dise qu'il ne pensait pas réellement tout ce qu'il venait de dire. Ils étaient trop bien ensemble, trop heureux… C'était impossible qu'il tire un trait sur ce qu'ils avaient vécu, sur ce qu'ils avaient encore à vivre.

Mais il ne la rejoignit pas.

Une fois dans son bureau, Gina s'assit, luttant contre les sanglots qui lui montaient à la gorge.

Elle avait du mal à le croire. Gerrick était l'homme le plus sensé, le plus compréhensif qu'elle ait jamais connu. En allant le trouver ce matin-là, elle était sûre qu'il l'écouterait parler avant de la serrer contre lui, de l'embrasser. Sûre que tout serait pardonné.

Cette fois encore, elle s'était trompée.

9.

Ce jour-là aussi, Gina rentra tôt chez elle et passa l'après-midi à déambuler dans sa chambre, se moquant bien que la domestique et son père l'entendent. Anéantie, brisée, elle n'avait pas même envie de pleurer.

Aux commentaires que fit Hilton ce soir-là pendant le dîner, elle comprit qu'il attribuait sa nervosité à sa récente querelle avec Gerrick. Or, comme elle ne voulait surtout pas qu'il intervienne dans une relation déjà bien assez tendue, elle prétendit que tout était réglé, et qu'elle n'avait quitté son bureau si tôt qu'à cause d'une forte migraine.

Le lendemain matin, la routine reprit. Elle franchit les portes de Hilton-Cooper-Martin comme si ce jour-là était semblable à tous les autres jours. Personne ne fit le moindre commentaire. Surtout pas Gerrick. Et comme la directrice des Ressources humaines avait, somme toute, peu de contacts avec le P.-D.G., le vendredi suivant, tout semblait être rentré dans l'ordre. En apparence, du moins. Car elle avait toujours le cœur réduit en mille morceaux.

Malheureusement, Olivia téléphona cet après-midi-là pour lui rappeler que la répétition de son mariage avec Josh avait lieu en soirée. Elle raccrocha, en proie à la panique. Gerrick serait là, lui aussi. Puis elle tenta de se calmer. Nul ne devait remarquer un quelconque changement dans sa relation avec lui.

Lorsqu'elle le vit arriver dans l'église, elle eut toutefois l'impression que le sol se dérobait sous ses jambes. Au prix d'un effort qui lui parut surhumain, elle réussit à lui sourire.

— Ça… va être un peu bizarre, articula-t-elle, comme il avançait vers elle après avoir salué les futurs mariés.

— Mais non. Tout se passera bien. A propos, j'ai vu mon avocat ce matin.

Voilà. C'était donc aussi simple que cela, pour lui.

A partir de ce moment-là, elle eut l'impression de ne pas être actrice mais spectatrice. Olivia et Josh paraissaient aussi heureux que peuvent l'être de futurs mariés. Ethan, Savannah et Brandon, leur fils de six mois, offraient l'image de la famille parfaite. D'humeur légère, Gerrick s'amusait avec le bébé et échangeait des plaisanteries avec tous les proches réunis à cette occasion.

Après les répétitions d'usage à l'église, les groupes se formèrent pour monter en voiture et se rendre chez la mère de Josh, qui organisait un dîner.

La gorge nouée, Gina vit les couples s'éloigner, tendrement enlacés. Un peu plus loin, Gerrick regagnait son véhicule en sifflotant.

Et soudain, c'en fut trop pour elle. Elle comprit qu'elle n'aurait pas la force de jouer plus longtemps la comédie. Elle ne supporterait pas une minute de plus la vue de ce bonheur insouciant qui, à ses yeux, frisait l'indécence.

Elle monta dans sa voiture, mais au lieu de démarrer, sortit de son sac son téléphone portable et composa le numéro de celui d'Olivia.

— Olivia ? Gina à l'appareil. Ecoute, la semaine a été dure et je suis très fatiguée. Je préfère rentrer et me reposer pour être en forme demain. Tu présenteras mes excuses à ma tante. Passez une bonne soirée. A demain.

Et elle s'empressa de raccrocher avant de fondre en larmes.

Le lendemain, la situation était identique, mais bizarrement, elle se sentait mieux après avoir pleuré tout son soûl. Elle se maquilla habilement afin de cacher ses cernes et son teint pâle, puis revêtit le tailleur de soie prune acheté pour la circonstance, et redressa les épaules.

Elle était résolue à s'amuser, à ce mariage. Ou, tout au moins, à donner le change. D'autant que les festivités auraient lieu dans la demeure des Martin, et qu'en qualité de maîtresse de maison, elle ne pouvait se permettre le moindre faux pas.

Olivia et Savannah arrivèrent en même temps, et les trois jeunes femmes montèrent dans la chambre de Gina, où la mariée devait s'habiller.

— Tu vas mieux, aujourd'hui ? s'inquiéta Olivia, dès qu'elles furent seules. Tu avais l'air bizarre, hier soir au téléphone... J'ai même cru que tu pleurais.

— Quelle idée ! C'étaient sans doute des parasites. Je me sens parfaitement bien. J'avais besoin de dormir, rien de plus.

Savannah et Olivia échangèrent un regard entendu, mais ne firent aucun commentaire et les préparatifs se poursuivirent.

Lorsque Josh, qui attendait devant l'église, vit descendre de voiture l'élue se son cœur, son visage s'illumina de telle sorte que Gina ressentit un pincement au creux de l'estomac.

Le sentiment de mal-être qu'elle s'efforçait d'ignorer gagna du terrain quand la mariée remonta l'allée centrale, au bras de son beau-père. C'était là un moment qu'elle ne vivrait jamais. Elle ne se marierait pas. Elle ne serait pas P.-D.G. de Hilton-

Cooper-Martin. La vie qui s'étendait devant elle était grise, dénudée, froide. Pareille à une voie d'autoroute.

Quand Josh et Olivia échangèrent les traditionnels vœux de fidélité, certains membres de l'assemblée essuyèrent furtivement leurs larmes, et Gina en profita pour pleurer, elle aussi. Plus fort qu'il ne l'aurait fallu, sans doute.

Si elle réussit à se contrôler ensuite pour la séance de photos et le retour à la maison, elle se laissa de nouveau gagner par le chagrin lorsque les jeunes mariés ouvrirent le bal.

— Ça va ? lui demanda Savannah, qui s'était glissée à côté d'elle sans qu'elle le remarque.

— Oh… Oui. Oui, bien sûr. Les mariages me font toujours pleurer.

— Je vois…

L'épouse d'Ethan la prit par le bras et la guida vers l'escalier.

— Une petite retouche de maquillage s'impose, lui dit la jolie rousse. Ton rimmel a coulé.

— Ah bon…

— Et pendant que tu te remaquilles, tu m'expliqueras aussi ce qui te perturbe à ce point.

— Mais… rien ne me perturbe, répliqua Gina en reniflant. Rien du tout.

— Ne me prends pas pour une idiote, Gina. Raconte-moi tout, pour que je puisse t'aider comme tu m'as aidée quand nous avons traversé une période difficile, Ethan et moi, juste avant ma grossesse.

Elles montèrent l'escalier en silence, et quand la porte de sa chambre se fut refermée derrière elles, Gina se mordit la lèvre. Elle préférait ne pas parler de son mariage, et bifurqua sur un autre problème qui pesait sur son existence.

— Je… ne serai jamais P.-D.G. de Hilton-Cooper-Martin.

A son grand étonnement, Savannah salua cette déclaration d'un éclat de rire.

— Ni toi, ni Josh, ni Ethan. C'est Gerrick qui a été choisi pour diriger l'entreprise. Et tant mieux, parce que de vous tous, je pense qu'il est le seul à avoir l'étoffe d'un P.-D.G. !

— Mmm… Il paraît. Bon, je vais me remaquiller.

Mais son amie la suivit dans la salle de bains.

— Et pourquoi accordes-tu tout à coup autant d'importance au fait d'être P.-D.G. ? Tu ne m'as jamais donné l'impression d'en avoir vraiment envie.

— Parce que… eh bien… Parce que je ne suis rien, Savannah ! lâcha-t-elle, incapable de se maîtriser plus longtemps.

— Mais que dis-tu là ? Qu'est-ce que c'est que ces bêtises ?

— Toute ma vie, j'ai été la fille de mon père. Maintenant, il se retire du jeu, et moi je ne sais plus que faire !

La jeune femme aux cheveux flamboyants se rapprocha de Gina et lui posa les deux mains sur les épaules.

— Qu'aurais-tu envie de faire ?

— C'est bien là le problème. Je n'en ai pas la moindre idée, admit-elle avec un soupir. J'ai passé tellement de temps à concentrer toute mon énergie sur cette entreprise, que je ne sais plus ni qui je suis, ni ce que je voudrais faire.

Savannah attendit qu'elle ait fini de s'asperger le visage d'eau froide pour reprendre la parole.

— Es-tu vraiment obligée d'être *quelqu'un* ?

— Oui. A l'inverse d'Olivia, qui vient de prendre cette décision, je ne serai jamais une épouse à temps complet. Et je ne me sens pas, comme toi, capable de gérer à distance le Bed & Breakfast familial, tout en élevant mon enfant et en envisageant d'en avoir d'autres.

A entendre énoncer tout haut le vide béant de sa vie, Gina s'assit sur le rebord de la baignoire et se mit à pleurer de plus belle.

— Mais quel est ce tissu de sottises, ma belle ? protesta Savannah avec véhémence. Tu es quelqu'un qui nous est très cher, à Olivia et à moi. Josh et Ethan eux aussi t'aiment. Et Gerrick. Gerrick t'aime, Gina.

Comme elle accompagnait cette déclaration d'un regard perçant, Gina comprit qu'elle savait ou se doutait de quelque chose.

— Eh bien…

Les mots franchirent ses lèvres, comme si la digue qui les retenait venait de se rompre. En quelques phrases, elle raconta à Savannah son mariage éclair avec Gerrick, ainsi que les événements qui avaient suivi, et termina par leur toute récente rupture.

D'abord médusée, Savannah finit par hocher la tête.

— Je crois que nous venons de toucher le cœur du problème…

— Je ne peux plus continuer à travailler à Hilton-Cooper-Martin, croiser Gerrick dans les couloirs, alors qu'il ne veut plus de moi.

— Peut-être que…

— Non, Savannah. Tout est fini entre nous. Et le pire, c'est qu'il m'annoncera un jour qu'il a rencontré la femme de sa vie, qu'il va se fiancer avec elle, l'épouser…

— Une petite minute. Ce que tu es en train de me dire, c'est que tu ne *veux* plus travailler dans l'entreprise familiale, pas que tu n'y as plus ta place. Et dans ce cas, j'ai une proposition à te faire.

— Laquelle ? demanda Gina, intéressée.

— Pars dans le Maryland. Occupe-toi du B & B dont j'ai hérité.

— Tu n'es pas obligée de...

Savannah éclata de rire.

— Ne t'imagine pas que je t'offre un présent sur un plateau d'argent ! En premier lieu, le bâtiment doit être entièrement repeint, aussi bien à l'intérieur qu'à l'extérieur. Il faudra donc que quelqu'un trouve un chef de travaux, et surveille ces travaux. Ensuite, j'aimerais bien que quelqu'un me remplace. Ce n'est pas toujours facile, de jouer sur plusieurs tableaux.

— Tu t'en tires pourtant très bien.

— En effet. Mais j'aimerais bien me reposer un peu...

Gina se leva et sourit à son amie.

— Je te remercie pour ta proposition, mais je me sens mieux, maintenant. Le fait de t'avoir parlé de mes problèmes m'en a en quelque sorte libérée. Je crois que j'avais besoin de me confier à quelqu'un.

— Sûr ? insista Savannah.

— Oui. Il faudra bien que j'assume la situation.

— Je ne t'ai jamais vue aussi mal en point, après une rupture.

— Parce que je n'ai aimé aucun homme comme j'aime Gerrick. Mais tout va bien.

Elle haussa les épaules et se moucha avant d'ajouter :

— Après tout, je n'ai à m'en prendre qu'à moi-même. Je m'en remettrai !

— Gina... Je pense que tu devrais partir dans le Maryland, surveiller ces travaux de peinture.

— Tu es une excellente amie, Savannah, mais ne t'inquiète pas, ça ira.

Elle se le répéta et y crut, jusqu'à ce que Gerrick l'invite à danser. Lorsqu'il la prit dans ses bras et lui sourit, elle se demanda comment elle avait pu être assez folle pour laisser échapper cet homme. Pas une fois, mais deux !

— Un mariage très réussi, lui dit-il.

— Très, en effet.

— Josh et Olivia ont l'air si heureux…

— Ils *sont* heureux. Olivia s'est éprise de Josh il y a quatre ans. Ça ne paraissait pas facile, au début, et aujourd'hui encore, personne ne sait comment elle est arrivée à ses fins ! expliqua-t-elle, d'un ton qui se voulait enjoué.

— Les gens désespérés commettent souvent des actes désespérés.

En entendant ces mots, Gina eut l'impression que son cœur se recroquevillait. Elle savait qu'il parlait de lui. Il lui laissait entendre que c'était le désespoir qui l'avait poussé à l'épouser, à Las Vegas.

— Ne pensons plus à cela, ajouta-t-il, comme s'il avait lu dans ses pensées. Tout ira bien. J'ai survécu à des erreurs plus importantes, et il semblerait que toi aussi. La vie continue.

— Oui, bien sûr.

Ce fut à ce moment-là que Gina saisit la nature exacte du problème. Il était prêt à aller de l'avant, lui. Pas elle. Elle restait couchée à terre alors qu'il se relevait déjà.

La chanson prit fin et ils se séparèrent. Gina murmura qu'elle avait soif et se dirigea vers le bar. Du coin de l'œil, elle vit Gerrick avancer vers une jolie brune, qu'il guida vers la piste de danse. Il lui posa les mains sur la taille, lui dit quelques mots, rit…

Il l'avait certainement aimée. Il était même possible qu'il l'aime encore. Mais il paraissait résolu à tourner la page sur leur histoire pour en vivre une autre. Et si elle ne voulait pas rester à l'arrière-plan, assister impuissante au développement d'une nouvelle relation. Elle devait partir.

Ce fut donc d'un pas ferme qu'elle s'éloigna du bar pour rejoindre Savannah.

— Ma décision est prise. Je pars pour le Maryland, déclara-t-elle, prenant son amie par le bras pour l'entraîner vers l'escalier.

— Parfait.

Son amie la fixait, un peu étonnée qu'elle la conduise à l'étage pour reprendre une discussion qu'elles avaient déjà eue.

— Je pars ce soir. Tout de suite. Est-ce que j'ai besoin d'une clé ?

Sitôt la porte de sa chambre refermée, Gina commença à se déshabiller sous l'œil stupéfait de Savannah.

— Est-ce que j'ai besoin d'une clé ? répéta-t-elle.

— Je... Non. J'ai quatre amies là-bas qui gèrent l'établissement à tour de rôle.

— Donne-moi leurs numéros de téléphone.

Elle lui tendit un stylo et un calepin, puis se changea et rangea quelques affaires dans un sac de voyage. Après l'avoir observée quelques minutes en silence, Savannah croisa les bras.

— Tu... es sûre de vouloir partir tout de suite ?

— Sûre et certaine.

— Bon. Dans ce cas... Mes amies feront tout ce qui est en leur pouvoir pour t'aider. *Tout*. Elles m'ont consolée et soutenue plus d'une fois à la mort de mes parents.

Trop émue pour parler, Gina embrassa son amie et s'éclipsa par la porte de service.

— Quelqu'un a vu Gina ? lança Hilton en se rapprochant du petit groupe d'amis au centre duquel se tenait Gerrick.

— Non, je ne l'ai pas vue, répondit Olivia, qui regardait autour d'elle, étonnée. Et depuis un certain temps, d'ailleurs.

Josh, qui fouillait lui aussi du regard la foule des invités, secoua la tête.

— Moi non plus, fit-il.

— Il y a une bonne heure que j'ai dansé avec elle, reprit Hilton, les sourcils froncés. Ensuite, je l'ai aperçue à une ou deux reprises… et puis plus rien !

— Elle ne doit pas être bien loin, observa Ethan.

Gerrick remarqua alors que Savannah fixait la pointe de ses chaussures. Ethan, qui avait suivi son regard, se tourna vers sa femme.

— Tu ne nous cacherais pas quelque chose, Savannah ?

Cette dernière s'éclaircit la voix, puis redressa la tête et fixa Hilton.

— Je… j'étais chargée d'avoir avec vous un entretien privé. Un peu plus tard.

— A quel sujet ? lança Hilton d'un ton incisif.

— Eh bien…

Elle hasarda un regard vers Gerrick.

— Eh bien…, répéta-t-elle, d'une voix toujours aussi hésitante.

— Eh bien quoi, Savannah ? insista Hilton. Qu'a encore fait Gina ?

— Oh, elle n'a rien fait. Ou plutôt… oui. Mon Bed & Breakfast a sérieusement besoin d'être repeint. Elle a donc accepté de partir dans le Maryland pour engager quelqu'un qui se charge de ces travaux, et les surveiller.

Gerrick, Olivia, Josh et Hilton dévisagèrent la jeune femme. Ethan fut le premier à recouvrer l'usage de la parole.

— Et elle est partie… *ce soir* ?

— Euh… oui, articula Savannah, visiblement très mal à l'aise.

— Quelqu'un pourrait m'expliquer pourquoi ma fille est partie repeindre une maison, la nuit, au beau milieu de ce mariage ? tonna Hilton.

Gerrick ressentit quelque chose qui ressemblait à de la panique. Pas seulement parce que l'état de santé de Hilton ne lui permettait pas de s'emporter, mais aussi parce que, comme lui, il pressentait quelque chose de grave. Sans quoi, Gina n'aurait pas déserté le mariage de l'une de ses meilleures amies.

— Il doit bien y avoir une explication, hasarda-t-il.

La jeune femme rousse hocha la tête.

— Absolument. Et je crois même que tu es le mieux placé de nous tous pour la fournir, cette explication.

— Elle… est partie à cause de moi ? murmura-t-il.

Ce fut cette fois au tour de Savannah de perdre patience.

— Bien sûr ! Tu ne te rends pas compte qu'elle souffre ? Tu l'as anéantie !

Hilton, dont le teint rougissait à vue d'œil, foudroya Gerrick du regard.

— Tu ne l'as quand même pas mise à la porte pour te venger de la façon dont elle t'a traité quand j'étais hospitalisé ?

— Calmez-vous, Hilton.

— Me calmer ? rugit-il. Alors que tu as fait souffrir la chair de ma chair ?

— Je ne l'ai pas…

Mais il se tut. Hilton avait raison. Gina souffrait à cause de lui. Sans quoi elle ne serait pas partie ainsi, comme une voleuse.

— Tu as trente secondes pour te décider à parler ! explosa Hilton.

— Soit. J'irai droit au but. Le week-end où vous avez eu cette crise cardiaque, nous sommes partis, Gina et moi, à Las Vegas, pour fêter mon nouveau job… et nous nous y sommes mariés.

Un cri étranglé jaillit de la gorge de Hilton, qui était maintenant livide.

— Comment ?

— Nous sommes mariés, Gina et moi. Mais nous pensions que vous le saviez.

— Non, je ne le savais pas ! s'époumona Hilton.

— Gina avait pourtant l'impression que vous aviez deviné quelque chose.

Gerrick était partagé entre l'envie d'apaiser Hilton, et celle de se lancer à la poursuite de Gina. Comment avait-il pu ne pas remarquer à quel point il l'avait blessée ? Elle lui avait toujours paru si forte…

— Elle se trompait ! ripostait déjà Hilton, toujours aussi courroucé. Qui, parmi vous, était au courant de ce mariage ?

Olivia hocha la tête avec tristesse.

— Moi.

— Je me doutais de quelque chose, marmonna Josh en grimaçant.

— Moi aussi, dit Ethan.

Savannah croisa nerveusement les mains.

— Elle m'en a parlé ce soir.

— Je vous remercie tous infiniment !

— Je m'apprêtais à aller vous trouver, déclara Savannah en lui posant la main sur le bras. Gina m'a demandé de tout vous expliquer quand le mariage serait terminé.

— Et pourquoi n'a-t-elle pas pris la peine de le faire ?

— Je pense que c'est ma faute, murmura Gerrick.

— Tu *penses* ? J'en suis sûr, moi !

— Calmez-vous, Hilton. Le Dr Brown est dans la salle. Il serait plus prudent de…

— Laisse donc le Dr Brown à sa place ! C'est de ma fille et de toi qu'il s'agit. Comment as-tu pu…

— Pour être précis, je dois dire… que c'est Gina qui m'a demandé en mariage.

— Ah bon ? répliqua Hilton, toujours sur la défensive. Et si tu as accepté, pourquoi diable t'es-tu comporté comme un idiot ? Et pourquoi Gina a-t-elle passé ces dernières semaines à tout mettre en œuvre pour que tu la remarques ? A te supplier de l'aimer ?

— Mais elle ne…

Cette fois encore il se tut, car Hilton avait raison. Lorsqu'il était revenu du Maine, elle avait en effet déployé des trésors d'ingéniosité pour le reconquérir. Elle s'était même lancée dans des manœuvres de séduction !

Gerrick regarda Hilton, qui paraissait au bord de l'apoplexie. Il pensa à Gina, en route pour le Maryland, en pleine nuit.

Il la savait capable de tenir bon quelques heures encore. Il savait aussi qu'elle lui en voudrait éternellement s'il arrivait quoi que ce soit à son père. Mais il y avait en ce moment autour de Hilton un certain nombre de personnes qui lui étaient attachées, alors qu'il était *le seul* à aimer Gina comme il l'aimait.

Il vint se placer derrière Olivia.

— Je vous confie Hilton, lui souffla-t-il à l'oreille. Occupez-vous bien de lui, tous les quatre. Je dois partir sans plus tarder. Il faut que je retrouve Gina.

10.

Comme Savannah ignorait quelle route avait pris Gina pour rejoindre le Maryland, Gerrick emprunta celle qui lui semblait la plus logique. Malheureusement, il roula pendant presque douze heures sans rencontrer la jeune femme. Ce qui n'était d'ailleurs pas très étonnant, puisqu'elle avait quitté Atlanta au moins une heure avant lui.

Lorsqu'il arriva dans le Maryland, le lendemain matin, il n'était même pas fatigué. Josh et Ethan l'avaient joint plusieurs fois sur son téléphone portable, pour lui assurer que l'état de santé de Hilton n'avait rien d'alarmant. Il ne lui restait plus qu'à régler son problème avec Gina…

Il l'avait appelée à maintes reprises sur son portable, mais elle n'avait pas pris la communication. Soit parce qu'elle avait éteint l'appareil, soit parce qu'elle refusait de lui parler — ce dont il ne pouvait la blâmer. A vrai dire, il n'était même pas sûr qu'elle consente à l'écouter quand il l'aurait enfin retrouvée.

Quand il arriva à destination, les portes du Bed & Breakfast étaient fermées. Il frappa, mais personne ne lui répondit. Comme Savannah l'avait prévenu que Gina devrait récupérer les clés chez l'une de ses amies, il s'assit sur les marches et attendit.

Elle apparut enfin, flanquée de quatre jeunes femmes. Vêtue d'un jean et d'un T-shirt, les joues roses, les cheveux dans le vent, elle ne présentait aucun signe de fatigue après ce long trajet en voiture.

— Tu n'as pas l'air aussi mal en point que le prétendait Savannah, déclara-t-il sans ambages.

— Dans la mesure où tu ne t'en soucies pas, quelle importance ?

— Je ne m'en soucie pas ? répéta-t-il en se levant. Au cas où tu ne l'aurais pas remarqué, je te signale que je ne suis même pas passé chez moi me changer. J'ai fait tout le trajet en smoking pour te retrouver au plus vite !

— Et tu peux repartir comme tu es venu, parce que je ne veux pas de toi ici.

Les quatre femmes faisaient bloc autour de Gina. Agées de vingt-cinq ans au plus, elles paraissaient néanmoins solides et résolues.

— Est-ce que nous pourrions parler en privé ?

— Je me suis juré de ne plus rester en tête à tête avec toi, Gerrick.

— Ça risque d'être gênant, quand nous partagerons le même lit..., répliqua-t-il avec un petit sourire.

Ce n'était qu'une demi-plaisanterie. Quelquefois, mieux valait aller au cœur du sujet.

— Tu rêves ! Il est hors de question que nous partagions de nouveau le même lit.

— Je te rappelle que nous sommes toujours mariés.

— Oui. Mais nous sommes désormais deux à vouloir le divorce.

— Bon. Ecoute... je suis conscient de m'être comporté comme un parfait crétin. Mais tu sais que j'avais mes raisons.

— Bien sûr, Gerrick. Et pour ne pas souffrir, tu as préféré *me* faire souffrir !

— Tu crois peut-être que je ne souffre pas, moi ?

— Dans ce cas, tu es encore plus idiot que je le croyais !

Sur ces mots, elle s'écarta de lui et, d'un signe de la main, invita les quatre jeunes femmes à la suivre.

— Maintenant, si tu veux bien nous excuser, nous devons discuter des travaux à effectuer dans ce bâtiment.

Elles s'éloignèrent d'un même pas, et, de nouveau seul, Gerrick reprit place sur les marches. Il ignorait ce qu'il allait faire. Il savait seulement qu'il était responsable de cette situation, et qu'il ne repartirait pas sans Gina. Il était assis là depuis cinq minutes quand l'une des jeunes femmes le rejoignit. La blonde aux cheveux courts s'assit à côté de lui et lui tendit une tasse de café.

— Tenez, je crois que vous en avez bien besoin. Je m'appelle Becki.

— Merci pour le café, Becki.

— Il n'y a pas de quoi.

Le silence se fit tandis qu'il dégustait le breuvage corsé à petites gorgées.

— Il y a trois heures exactement que je connais Gina, commença Becki, lorsqu'elle remarqua que la tasse était vide. Je l'ai trouvée assise là, quand je venais préparer la chambre pour les clients qui doivent arriver ce soir.

— Est-ce qu'elle allait bien ?

— Elle en avait l'air. Je dis bien *l'air*. Parce que sous une apparence de granit se cache un cœur tendre…

Gerrick soupira et hocha la tête.

— Je ne m'en suis aperçu qu'hier.

— Comment est-il possible que vous n'ayez rien remarqué avant ?

— J'étais trop concentré sur moi, sur ma propre histoire.

Il lui raconta brièvement les événements marquants de son enfance.

— Et au lieu de voir en Gina quelqu'un qui pouvait vous aimer, vous avez décidé qu'elle vous ferait souffrir.

— Comment avez-vous deviné ? lui demanda-t-il, étonné.

— Seuls ceux que nous aimons ont le pouvoir de nous faire souffrir. Donc, si vous craignez de souffrir à cause d'elle, cela signifie que vous devez l'aimer beaucoup…

Comme il la fixait, ébahi, Becki éclata de rire.

— Je ne suis pas une voyante extralucide ! Je me borne à formuler des évidences. Et si elle ne vous aimait pas, elle aussi, elle ne souffrirait pas. Ça me semble tout aussi évident !

Un sourire se dessina lentement sur les lèvres de Gerrick.

— Tout espoir ne serait donc pas perdu ?

— A vous de jouer ! Il faudra peut-être insister un peu…

— N'y aurait-il pas une bouteille de champagne dans les parages ? demanda-t-il, l'œil espiègle.

— Pas d'alcool, cette fois !

Elle s'était levée en prononçant ces mots, et il la suivit dans le salon, où Gina et ses acolytes discutaient des travaux à effectuer.

— Désolé, Gina, déclara-t-il, mais je n'accepte pas ta réponse négative. Nous devons parler, tous les deux.

La jeune femme leva les yeux de la feuille sur laquelle elle avait commencé à prendre des notes, et le dévisagea froidement.

— Nos avocats se chargeront de *parler*.

— Tu dois m'écouter. J'ai enfin compris ce qui n'allait pas entre nous.

— Nous en avons maintes fois discuté. Le chapitre est clos.

— Pas tout à fait.

Il se mit à rire, comme s'il était libéré d'un grand poids. Et c'était bien le cas. Il se comportait normalement avec Gina. Il ne se tenait plus sur ses gardes, ne se montrait plus méfiant à son égard. Il n'avait pas à cacher son passé, ni à s'inquiéter de son avenir. Elle le connaissait bien, et l'aimait. Elle l'aimait assez pour avoir décidé de quitter Atlanta, sa maison, son emploi, plutôt que de continuer à le voir après leur rupture.

— J'ai enfin compris, hier soir, en découvrant que tu étais partie, que je ne m'étais pas moi non plus investi dans notre relation. Je me protégeais trop, je ne te laissais aucune chance.

Elle regarda tour à tour chacune des quatre jeunes femmes, et fronça le nez.

— Les filles, je pense que ça devient vraiment privé...

Elles se levèrent avec des sourires entendus, et quittèrent la pièce.

— Tu disais donc ? demanda-t-elle, lorsqu'ils se retrouvèrent seuls.

— Que je t'aime, Gina.

Il ponctua ces mots d'un grand éclat de rire.

— Gerrick... tu es sûr de te sentir bien ?

— Je ne me suis jamais senti aussi bien en trente-quatre ans d'existence ! Grâce à toi, je me suis libéré de mes vieux démons. Je suis prêt à me donner sans réserve dans notre relation, Gina. Je t'aime. Je ne peux pas me passer de toi.

Il s'était rapproché d'elle, lui tendait les bras, et elle avait une envie folle de se blottir contre lui, se laisser griser par ses baisers.

Mais était-ce possible ?

— Cette fois, je t'aimerai comme tu mérites d'être aimée. Cette fois, je te demande en mariage.

— Comment cela, *cette fois ?* C'est quand même bien toi qui m'as demandée en mariage, à Las Vegas ?

— Non, Gina. C'est toi qui m'as demandé en mariage.

— Oh, Dieu du ciel..., gémit-elle.

— Tu imagines, toutes les merveilleuses histoires que nous aurons à raconter à nos petits-enfants ?

Comme elle se taisait, il sortit de sa poche la bague qu'il lui avait offerte à las Vegas. Il lui avait dit ne pas être passé chez lui avant de quitter Atlanta, ce qui signifiait qu'il avait toujours la bague sur lui. Ce détail eut raison de ses dernières réticences.

Lorsqu'il lui prit la main pour lui glisser la marquise à l'annulaire, elle ne protesta pas. Et quand il l'enlaça, elle répondit avec ferveur à son baiser.

Plus tard, après avoir déjeuné sur place, ils saluèrent chaleureusement les amies de Savannah, prêts à repartir pour Atlanta où les attendait Hilton, désormais rassuré par sa fille, qui lui avait longuement parlé par téléphone.

Ivre de bonheur, elle l'avait informé de leurs projets : ils allaient acheter une maison, et elle cesserait de travailler en attendant de trouver un emploi qui lui plaise vraiment. Cela lui permettrait aussi de s'occuper de leurs enfants tant qu'ils seraient en bas âge. A ces mots, Hilton n'avait pas caché sa joie. « Grand-père ? Je suis prêt à abandonner mes rosiers pour ce rôle-là ! s'était-il exclamé, enthousiaste. Il ne me reste plus qu'à leur trouver une grand-mère ! »

Prête à prendre la route, Gina sortait son trousseau de clés pour monter dans sa voiture, quand Gerrick la retint par le bras.

— J'ai une meilleure idée. Laisse ton véhicule ici. Quelqu'un viendra le chercher.

— Pourquoi ?

— L'une des amies de Savannah aura peut-être envie de te le rapporter à Atlanta. Ça lui donnera l'occasion de rendre visite à Savannah, et de voir le bébé.

— Pourquoi ?

— Je ne crois pas être superstitieux, Gina, mais le soir où nous sommes rentrés de Las Vegas, si nous ne sous étions pas séparés pour récupérer nos voitures respectives, devant le bar où nous nous étions rencontrés par hasard, nous nous serions présentés devant Ethan comme un couple marié. Tu aurais été obligée de révéler la vérité à ton père, et tout aurait été plus clair dès le début. As-tu envie de courir de nouveau ce risque ?

Elle referma en hâte la portière et prit Gerrick par le bras.

— Mes nouvelles amies seront enchantées de faire un petit tour à Atlanta !

Chère lectrice,

Vous nous êtes fidèle depuis longtemps?
Vous venez de faire notre connaissance?

C'est pour votre plaisir que nous avons imaginé un rendez-vous chaque mois avec vos auteurs préférés, vos AUTEURS VEDETTE dans les collections Azur et Horizon.

Les AUTEURS VEDETTE vous donneront rendez-vous pour de nouveaux livres vedette.

Pour les reconnaître, cherchez l'étoile... Elle vous guidera!

Éditions Harlequin

LE FORUM DES LECTEURS ET LECTRICES

CHERS(ES) LECTEURS ET LECTRICES,

VOUS NOUS ETES FIDÈLES DEPUIS LONGTEMPS?

VOUS VENEZ DE FAIRE NOTRE CONNAISSANCE?

SI VOUS AVEZ DES COMMENTAIRES, DES CRITIQUES À FORMULER, DES SUGGESTIONS À OFFRIR, N'HÉSITEZ PAS… ÉCRIVEZ-NOUS À:

LES ENTERPRISES HARLEQUIN LTÉE.
498 RUE ODILE
FABREVILLE, LAVAL, QUÉBEC.
H7R 5X1

C'EST AVEC VOS PRÉCIEUX COMMENTAIRES QUE NOUS ALLONS POUVOIR MIEUX VOUS SERVIR.

DE PLUS, SI VOUS DÉSIREZ RECEVOIR UNE OU PLUSIEURS DE VOS SÉRIES HARLEQUIN PRÉFÉRÉE(S) À VOTRE DOMICILE, NE TARDEZ PAS À CONTACTER LE SERVICE D'ABONNEMENT; EN APPELANT AU (514) 875-4444 (RÉGION DE MONTRÉAL) OU 1-800-667-4444 (EXTÉRIEUR DE MONTRÉAL) OU TÉLÉCOPIEUR (514) 523-4444 OU COURRIER ELECTRONIQUE: AQCOURRIER@ABONNEMENT.QC.CA OU EN ÉCRIVANT À:

ABONNEMENT QUÉBEC
525 RUE LOUIS-PASTEUR
BOUCHERVILLE, QUÉBEC
J4B 8E7

MERCI, À L'AVANCE, DE VOTRE COOPÉRATION.

BONNE LECTURE.

HARLEQUIN.

VOTRE PASSEPORT POUR LE MONDE DE L'AMOUR.

Composé et édité par les
éditions Harlequin
Achevé d'imprimer en juillet 2005

à Saint-Amand-Montrond (Cher)
Dépôt légal : août 2005
N° d'imprimeur : 51770 — N° d'éditeur : 11505

Imprimé en France